Les ailes de la nuit

Éditions J'ai Lu

ROBERT SILVERBERG	*ŒUVRES*
L'HOMME DANS LE LABYRINTHE	*J'ai Lu*
FILS DE L'HOMME	
LA TOUR DE VERRE	
LES MASQUES DU TEMPS	
LES PROFONDEURS DE LA TERRE	
LES AILES DE LA NUIT	*J'ai Lu*
LE TEMPS DES CHANGEMENTS	

En vente dans les meilleures librairies

ROBERT SILVERBERG

Les ailes de la nuit

Traduit de l'américain
par Michel DEUTSCH

Ce roman a paru sous le titre original :
NIGHTWINGS

PREMIÈRE PARTIE

LES AILES DE NUIT

1

La cité de Roum est édifiée sur sept collines. On dit qu'elle fut une capitale de l'homme dans un cycle antérieur. Cela, je l'ignorais car c'était à la confrérie des Guetteurs, pas à celle des Souvenants, que j'appartenais; mais en arrivant au crépuscule, venant du sud, quand la ville m'était apparue pour la première fois, j'avais immédiatement vu que son importance avait dû être grande. C'était encore une puissante cité peuplée de milliers d'âmes.

Ses tours anguleuses se découpaient à l'emporte-pièce sur le ciel assombri. Le flamboiement des lumières était somptueux. A ma gauche, le soleil à son déclin embrasait splendidement le firmament. Des oriflammes d'azur, de violet, d'écarlate se déployaient, s'enchevêtraient dans leur danse nocturne, annonciatrice des ténèbres. A droite, l'obscurité s'était déjà installée. Ce fut en vain que j'essayai de distinguer les sept collines. Pourtant, je savais que c'était bien là cette Roum en majesté où mènent toutes les routes et j'éprouvais un profond et respectueux émerveillement à la vue des œuvres de nos aïeux.

Nous nous reposions au bord de la longue route rectiligne et contemplions Roum.

— C'est une belle cité, dis-je. Nous y trouverons emploi.

Avluela, assise à côté de moi, fit palpiter la dentelle de ses ailes.

— Et de la nourriture? demanda-t-elle de sa voix flûtée et haut perchée. Et un toit? Et du vin?

— Il y aura aussi tout cela.

— Depuis quand marchons-nous, Guetteur ?

— Depuis deux jours et trois nuits.

— Si j'avais volé, ç'aurait été plus rapide.

— Pour toi. Tu nous aurais vite distancés et tu ne nous aurais plus jamais revus. Est-ce cela que tu désires ?

Elle se rapprocha de moi, caressa l'étoffe rêche de ma manche et se pelotonna contre moi comme un chat en veine d'affection. Ses ailes s'ouvrirent. Par-delà leur surface arachnéenne, je distinguai le soleil couchant et les feux du soir brouillés et magiquement déformés. Je humai le parfum de ses cheveux de nuit. Je la pris dans mes bras et enlaçai son corps svelte d'adolescent.

— Tu sais que mon désir est de rester toujours avec toi, Guetteur. Toujours !

— Je le sais, Avluela.

— Serons-nous heureux à Roum ?

— Nous y serons heureux, répondis-je en la lâchant.

— Et si nous y entrions, maintenant ?

Je secouai la tête :

— Il vaut mieux attendre Gormon. Il ne va pas tarder à revenir de son exploration.

Je ne voulais pas lui avouer ma fatigue. Elle n'était qu'une enfant... dix-sept printemps. Que savait-elle de la fatigue ? Que savait-elle de la vieillesse ? Et j'étais vieux. Pas autant que Roum mais assez vieux quand même.

— Je peux voler pendant que nous l'attendons ?

— Oui, vole.

Je m'accroupis devant la carriole et me réchauffai les mains à son générateur qui bourdonnait tandis qu'Avluela se préparait. D'abord, elle ôta ses vêtements car ses ailes ont peu de force et il lui aurait été impossible de décoller avec ce supplément de bagage. D'un geste souple et adroit, elle se débarrassa des bulles transparentes qu'emprisonnaient ses pieds minuscules, se tortilla pour s'extraire de sa tunique écarlate et détacha ses moelleuses jambières de fourrure. Les dernières lueurs du couchant faisaient brasiller sa fine silhouette. Comme tous les

Volants, aucun excédent de muscle ne la gênait. Ses seins n'étaient que de légères protubérances, elle avait les fesses plates et ses cuisses étaient si fuselées qu'elles étaient séparées par un hiatus de plusieurs centimètres lorsqu'elle se tenait debout. Pesait-elle plus de cinquante kilos ? J'en doute. Je la regardais et, comme toujours, j'avais le sentiment d'être un gros et répugnant paquet de viande attaché à la glèbe. Pourtant, je ne suis pas lourd.

Elle s'agenouilla au bord de la route, les phalanges appuyées au sol, la tête penchée, pour réciter les formules rituelles des Volants. Elle me tournait le dos. Ses ailes délicates, vibrantes de vie, frémissaient, flottaient autour d'elle comme une cape agitée par le vent. Je ne comprenais pas comment ces ailes pouvaient supporter le poids d'un corps même aussi frêle que celui d'Avluela. Ce n'étaient pas des ailes de faucon mais des ailes de papillon, veinées et transparentes, émaillées ici et là de ponctuations pigmentées — ébène, turquoise, vermillon. Un robuste ligament les rattachait à ses omoplates effilées mais elle ne possédait ni le sternum massif ni les faisceaux musculaires nécessaires aux créatures ailées. Je sais qu'il faut autre chose que des muscles aux Volants pour prendre leur essor, qu'ils pratiquent de mystérieuses disciplines mystiques. Il n'empêche que le Guetteur que j'étais demeurait sceptique à l'endroit des confréries plus insolites que la mienne.

Ses préliminaires achevés, Avluela se dressa. Elle écarta ses ailes face au vent et s'éleva de plusieurs pieds. Elle resta alors suspendue entre ciel et terre, brassant frénétiquement l'air. Il ne faisait pas encore nuit et les ailes d'Avluela n'étaient que des noctailes. Elle ne pouvait voler en plein jour : la force terrible du vent solaire l'aurait précipitée au sol. Et l'heure présente, le chien et loup, n'était pas non plus le moment le plus favorable. Grâce au peu de clarté qui subsistait, je la vis prendre son élan en direction de l'est. Ses bras ramaient dans l'air aussi bien que ses ailes. Son visage mince et étroit était tendu par l'effort qu'elle faisait pour se concentrer. Et ses lèvres fines murmuraient les formules de la confrérie. Elle se plia en deux et s'élança, la croupe dans l'alignement de la tête. Soudain, elle se mit à planer à l'horizontale, face au sol, barattant furieusement l'air. *Monte, Avluela! Monte!*

Elle s'éleva comme si de par sa seule volonté elle avait vaincu les ultimes lueurs attardées du jour.

C'était un plaisir que d'observer son corps nu dans la nuit. Je la distinguais nettement car les yeux des Guetteurs sont perçants. Elle était maintenant à une altitude de cinq fois sa taille et ses ailes déployées au maximum cachaient en partie les tours de Roum. Elle agita le bras. Je lui envoyai un baiser accompagné de mots tendres. Les Guetteurs ne peuvent ni se marier ni avoir d'enfants. Néanmoins, Avluela était comme ma fille et j'étais fier de ses prouesses aériennes. Il y avait une année que nous voyagions ensemble — depuis que nous nous étions rencontrés en Ogypte —, et c'était comme si je l'avais connue depuis toujours. Elle régénérait mes forces. Je ne sais ce que je lui apportais, moi : la sécurité, un élément de continuité la reliant au passé, aux jours d'avant sa naissance. J'espérais seulement qu'elle m'aimait comme je l'aimais.

A présent, elle était très haut. Elle tournoyait, s'élevait en chandelle, plongeait, pirouettait, dansait. Son corps paraissait n'être qu'un appendice accessoire de ces deux grandes ailes qui scintillaient, palpitaient, miroitaient dans la nuit. Elle s'élevait de plus en plus haut dans l'ivresse de la liberté et je me sentais plus cul de plomb que jamais. Soudain, telle une mince fusée, elle s'élança dans la direction de Roum. Je voyais la plante de ses pieds, le bout de ses ailes. Et je ne vis plus rien.

J'exhalai un soupir et glissai mes mains sous mes aisselles pour les réchauffer. Pourquoi grelottais-je d'un frisson hivernal alors qu'Avluela filait, joyeuse et nue, à travers ciel?

C'était la douzième des vingt heures de la journée et le moment était venu de me mettre en Vigile. Je grimpai dans la voiture, ouvris mes caisses et préparai les instruments. Certains cadrans étaient jaunis et en partie effacés. Les aiguilles indicatrices avaient perdu leur revêtement lumineux. L'eau de mer avait taché les étuis à accessoires, souvenir du jour où les pirates m'avaient attaqué sur l'océan Terre. Les leviers et les curseurs, usés et fendillés, répondirent sans difficulté aux sollicitations de mes doigts quand j'entamai les préliminaires. D'abord, prier pour avoir l'esprit pur et réceptif. Puis se mettre en affinité avec les instruments. Alors commence la Vigile proprement dite : fouiller les cieux constellés pour y débusquer les ennemis de l'homme. J'étreignis manettes et boutons, fis le vide dans mon esprit et me préparai à ne plus être que le prolongement de mon appareillage.

J'étais juste en train dc franchir le seuil et d'entrer dans la première phase de Vigile quand une voix sonore retentit derrière moi :

— Alors, Guetteur, comment ça marche ?

Je m'affaissai contre la paroi de la voiture. Être arraché aussi brusquement à sa tâche est physiquement douloureux. Pendant quelques instants, mon cœur fut comme pris dans un étau. Mes joues devinrent brûlantes, mes yeux n'accommodaient plus, ma gorge était sèche. Dès que je le pus, je fis ce qu'il fallait pour endiguer l'hémorragie métabolique et me dissociai de mes instruments. Dissimulant autant que je le pouvais le tremblement de mes mains, je me retournai.

C'était Gormon, le troisième côté de notre petit triangle. Désinvolte, il me regardait en souriant. Mon désarroi l'amusait. Mais je ne pouvais éprouver de hargne. On ne se met pas en colère contre un hors-confrérie, quelle que soit la provocation dont on est l'objet.

— Es-tu satisfait de ta reconnaissance ? lui demandai-je avec effort, d'une voix crispée.

— Tout à fait satisfait. Où est Avluela ?

Je tendis le doigt vers le ciel. Il hocha la tête.

— Qu'as-tu découvert, Gormon ?

— Que cette cité est incontestablement Roum.

— Personne n'en avait jamais douté.

— Moi, j'avais des doutes. Maintenant, j'ai des preuves.

— Ah bon ?

— Regarde.

Il sortit son ultrapoche de dessous sa tunique, la posa devant moi, l'ouvrit de façon à pouvoir y glisser la main et, tout en ahanant, entreprit d'en extraire quelque chose de long et de lourd. Cela ressemblait à une pierre blanche. J'identifiai l'objet : c'était une colonne de marbre cannelée, grêlée par le temps.

— Cela provient d'un temple de la Roum impériale.

Il était triomphant.

— Tu n'aurais pas dû prendre ça.

— Attends! s'écria-t-il en extirpant cette fois de son ultra-poche une poignée de disques de métal qui tintèrent quand il les lança à mes pieds. Des pièces! Des monnaies! Vois, Guetteur! Les têtes des Césars!

— De qui?

— C'étaient les anciens chefs. Ne connais-tu pas l'histoire des cycles passés?

Je le dévisageai avec curiosité :

— Tu prétends n'appartenir à aucune confrérie, Gormon. Serais-tu par hasard un Souvenant et me l'aurais-tu caché?

— Regarde-moi, Guetteur. Pourrais-je être membre d'une confrérie? Laquelle admettrait-elle un Elfon?

— C'est vrai, reconnus-je en contemplant l'or de ses cheveux, sa peau épaisse et cireuse, ses yeux aux pupilles rouges, sa bouche ébréchée.

Dès son sevrage, on lui avait administré des drogues tératogènes. Gormon était un monstre, beau à sa manière, mais quand même un monstre, un Elfon, en dehors des lois et des coutumes humaines en vigueur en ce troisième cycle de civilisation. Et il n'existe pas de confrérie d'Elfons.

— Ce n'est pas tout, enchaîna-t-il.

La capacité de l'ultrapoche était illimitée. On aurait pu enfourner le contenu d'un monde entier, si nécessaire, dans cette sacoche grise et ratatinée, pas plus grande qu'une main d'homme. Gormon en retira des pièces de machines, des rouleaux de lecture, un objet angulaire fait d'un métal rougeâtre qui était peut-être un ancien outil, trois carrés de verre scintillants, cinq feuilles de papier — *du papier!* — et une multitude d'autres vénérables reliques.

— Tu vois, Guetteur? Ma promenade a été fructueuse. Et je n'ai pas fait du pillage au hasard. Tout est enregistré, étiqueté avec l'indication des strates d'origine, de l'âge estimé du spécimen, de sa position *in situ.* Ce sont plusieurs millénaires de Roum qui sont rassemblés sous nos yeux.

— Tu ne crois pas que tu as eu tort de faire main basse sur ces choses ? lui demandai-je, dubitatif.

— Pourquoi ? A qui feront-elles défaut ? Qui se soucie du passé au cycle où nous sommes ?

— Les Souvenants.

— Ils n'ont pas besoin d'objets matériels pour faire leur travail.

— Mais pourquoi veux-tu les avoir ?

— Le passé m'intéresse, Guetteur. A ma façon de hors-confrérie, je cherche à m'instruire. Est-ce mal ? Même si l'on est un monstre, n'a-t-on pas le droit à la culture ?

— Bien sûr que si. Cherche ce que tu désires, accomplis-toi à ta guise. Cette cité est Roum. Nous y entrerons à l'aube. J'espère y trouver emploi.

— Ce ne sera peut-être pas facile.

— Pourquoi donc ?

— Il y a certainement déjà de nombreux Guetteurs à Roum. On n'aura guère besoin de tes services.

— Je gagnerai la faveur du prince de Roum.

— Le prince de Roum est un homme dur, insensible et cruel.

— Tu as entendu parler de lui ?

Gormon haussa les épaules.

— Plus ou moins. (Il se mit en devoir de remettre les objets qu'il avait glanés dans l'ultrapoche.) C'est une chance à courir, Guetteur. Quel autre choix as-tu ?

— Aucun.

Il éclata de rire. Moi pas.

Il n'avait plus d'yeux que pour son butin. Ses paroles m'avaient profondément déprimé. Comme il paraissait sûr de lui dans ce monde incertain, ce hors-confrérie, ce monstre mutant, cet homme au physique abhumain ! Comment pouvait-il être aussi à son aise, aussi insouciant ? Il ne s'inquiétait pas des calamités et se gaussait de ceux qui avouaient avoir peur. Cela faisait maintenant neuf jours qu'il nous accompagnait puisque nous l'avions rencontré dans l'ancienne cité littorale au pied du volcan, au sud. Je ne lui avais pas proposé de se joindre à nous : il s'était invité de son propre chef et, devant l'insistance d'Avluela, je n'avais pas soulevé d'objections. A cette époque de l'année, il fait sombre et froid sur les routes, des animaux dangereux de toutes sortes abondent et il était judicieux pour un vieil homme voyageant en compagnie d'une jeune fille de prendre en renfort un costaud comme Gormon. Il y avait pourtant des moments — comme maintenant — où je regrettais ma décision.

Alors que je me dirigeais d'un pas lent vers mon matériel, il me dcmanda comme si cela lui venait brusquement à l'esprit :

— Est-ce que j'ai interrompu ta Vigile, Guetteur?

— Oui, lui répondis-je de mon ton le plus amène.

— Pardonne-moi. Retourne à ta tâche. Je te laisserai en paix.

Et il me décocha un sourire bancal, un sourire éblouissant dont le sortilège effaçait l'arrogante désinvolture des mots.

J'effleurai les boutons, me mis en contact avec les nodales, ajustai les tabulateurs. Mais je n'entrai pas en vigilance car je demeurais conscient de la présence de Gormon et je redoutais que, malgré sa promesse, il ne recommence à interrompre ma concentration à un moment douloureux. Finalement, j'abandonnai. Il était posté de l'autre côté de la route, la tête levée pour tenter d'apercevoir Avluela. Il se rendit compte que je le regardais.

— Quelque chose qui ne va pas, Guetteur?

— Non. L'instant n'est pas propice pour vigiler. J'attendrai.

— Dis-moi, quand les ennemis de la Terre surgiront vraiment des étoiles, tes machines t'avertiront?

— Je le crois.

— Et alors?

— Je préviendrai les Défenseurs.

— Après quoi l'œuvre de toute ta vie sera achevée?

— Peut-être.

— Mais pourquoi êtes-vous toute une confrérie? Pourquoi

n'y a-t-il pas un centre directeur de surveillance ? Pourquoi êtes-vous une armée de Guetteurs itinérants ?

— Plus les vecteurs de détection sont nombreux, plus grandes sont les chances d'être alertés rapidement en cas d'invasion.

— Ainsi, un Guetteur isolé pourrait aussi bien mettre sa machine en marche et ne rien déceler alors que l'envahisseur serait déjà là ?

— Cela pourrait se produire. C'est justement la raison pour laquelle nous avons adopté la solution de la surabondance d'effectifs.

— Il y a des moments où je trouve que vous poussez cette pratique à l'extrême. (Gormon s'esclaffa.) Crois-tu vraiment à l'éventualité d'une invasion ?

— Oui, répondis-je sur un ton gourmé. Sinon, j'aurais gâché mon existence.

— Mais pourquoi les Stellaires voudraient-ils s'emparer de la Terre ? Que possédons-nous en dehors des vestiges des vieux empires ? Que feraient-ils de cette misérable ville de Roum ? De Perris ? De Jorslem ? Des cités pourrissantes ! Des princes débiles ! Allons, Guetteur, reconnais-le : l'invasion est un mythe et tu te livres quatre fois par jour à une activité qui ne rime à rien. N'est-ce pas ?

— Vigiler est mon métier et mon savoir. Les tiens sont de railler. A chacun sa spécialité, Gormon.

— Pardonne-moi, fit-il avec une feinte humilité. Et retourne à ta Vigile.

— J'y vais.

La rage au cœur, je me penchai sur mes instruments, bien résolu, cette fois, à ignorer toute interruption, si brutale fût-elle. Les étoiles étaient levées. Je regardai les constellations flamboyantes et mon esprit enregistra automatiquement le pullulement des mondes. Veillons, m'exhortai-je. Continuons de guetter en dépit des persifleurs.

J'entrai totalement en Vigilance.

Étreignant les manchons, je me laissai porter par le torrent d'énergie qui déferlait en moi, concentrai mes pensées sur les cieux et m'efforçai d'y déceler des entités hostiles. Quelle extase! Quelle incroyable splendeur! Moi qui n'avais jamais quitté cette petite planète, j'errais de par les ténébreuses étendues du vide, je glissais du brasier d'une étoile à l'autre, je voyais les planètes tournoyer comme des toupies. Des visages se tournaient vers moi au hasard de ma déambulation, des visages sans yeux et des visages aux yeux multiples. La galaxie aux peuples sans nombre m'était accessible dans toute sa diversité. J'épiai, à l'affût de possibles concentrations de forces hostiles. J'examinai des terrains de manœuvre et des camps militaires. Comme je le faisais quatre fois par jour depuis que j'étais arrivé à l'âge adulte, je cherchai les envahisseurs prophétiquement annoncés, les conquérants qui, à la fin des temps, devaient prendre possession de la guenille qu'était notre monde.

Je ne remarquai rien et lorsque j'émergeai de ma transe, épuisé et couvert de sueur, ce fut pour voir qu'Avluela descendait du ciel.

Elle se posa, légère comme une plume. Quand Gormon l'appela, elle s'élança vers lui en courant, ses petits seins frémissant. Les bras puissants de l'Elfon se refermèrent sur son corps frêle. Leur étreinte était dépourvue de passion mais toute de joie. Quand il la lâcha, Avluela se tourna vers moi et laissa tomber d'une voix haletante :

— Roum. *Roum!*

— Tu l'as vue?

— J'ai tout vu! Des gens par milliers! Des lumières! Des avenues! Un marché! Des ruines vieilles de plusieurs cycles! Oh, Guetteur! Quelle merveille que Roum!

— Alors, tu as fait un bon vol?

— Miraculeux!

— Nous nous y rendrons demain pour y élire domicile.

— Non, Guetteur. Maintenant! Tout de suite! (Une animation enfantine s'était emparée d'elle, elle était rouge d'excitation :) Cela ne fait qu'une petite étape. Regarde... On y est presque!

— Il vaut mieux que nous nous reposions d'abord. Tu ne voudrais pas que nous arrivions fatigués à Roum.

— Nous nous reposerons quand nous y serons. Viens. Range toutes tes affaires. Tu as fait ta Vigile, n'est-ce pas ?

— Oui.

— Eh bien, en avant ! En route pour Roum !

Je lançai un coup d'œil suppliant à Gormon. Il faisait nuit. Le moment était venu de préparer le camp pour dormir quelques heures.

Pour une fois, l'Elfon se rangea de mon côté.

— Le Guetteur a raison, dit-il à Avluela. Un peu de repos ne fera de mal à personne. Nous partirons pour Roum au lever du jour.

Avluela fit la moue. Elle avait plus que jamais l'air d'une enfant. Ses ailes retombèrent mollement, son corps fragile s'affaissa. Elle replia avec mauvaise humeur ses élytres jusqu'à ce qu'ils ne fissent plus sur son dos que de petites bosses de la taille du poing et ramassa ses vêtements éparpillés sur la route. Elle se rhabilla pendant que nous montions le camp, Gormon et moi. Je procédai ensuite à la distribution des tablettes nutritives et chacun se retira dans son alvéole. Je dormis d'un sommeil agité et rêvai d'Avluela. Elle se détachait comme une enluminure sur une lune déchiquetée et Gormon l'accompagnait dans son vol.

Deux heures avant l'aube, je me levai pour effectuer ma première Vigile, puis réveillai mes deux compagnons et nous nous mîmes en route pour la fabuleuse cité impériale, pour Roum.

2

La clarté du matin brillait d'un éclat cru comme si c'était un monde jeune de création récente. La route était déserte. Les gens ne se déplaçaient guère, à présent, sauf ceux qui étaient, comme moi, des errants par habitude et par nécessité professionnelle. Nous devions parfois nous ranger pour laisser passer le chariot d'un membre de la confrérie des Maîtres, une douzaine de neutres à la physionomie dénuée d'expression attelés au timon. Pendant les deux premières heures, nous vîmes quatre de ces véhicules, tous hermétiquement clos afin de dissimuler les traits altiers des Maîtres à la vue des inférieurs comme nous. Plusieurs voitures à patins chargées de marchandises nous dépassèrent. Un certain nombre de flotteurs filaient au-dessus de nos têtes mais, la plupart du temps, nous avions la route pour nous seuls.

Les environs de Roum étaient parsemés de vestiges de l'Antiquité : des colonnes isolées, les restes d'un aqueduc allant de nulle part à nulle part et qui ne transportait rien, le portail d'un temple évanoui. C'était là la Roum la plus ancienne mais les Roum des cycles ultérieurs y avaient marqué leur trace : cabanes de paysans, dômes de distributeurs d'énergie, carcasses de tours d'habitation. Nous tombions occasionnellement, mais c'était plus rare, sur la carcasse carbonisée de quelque antique vaisseau aérien. Gormon examinait tout et, de temps en temps, il prélevait un échantillon. Avluela regardait en ouvrant de grands yeux, muette.

Enfin nous atteignîmes les murs majestueux de la cité. Ils étaient faits de pierres bleues lustrées, parfaitement jointées, et pouvaient avoir huit fois la hauteur d'un homme. La route aboutissait à une voûte en encorbellement qui perçait la muraille. La porte était ouverte. Comme nous en approchions, un homme encapuchonné portant la sévère robe des Pèlerins vint à notre rencontre. Sa stature était extraordinaire. On n'aborde pas un Pèlerin de son propre chef mais on l'écoute s'il vous fait signe.

Il nous fit signe.

— D'où viens-tu ? me demanda-t-il à travers l'orifice grillagé de son masque.

— Du sud. J'ai vécu quelque temps en Ogypte, puis j'ai franchi le Pont de Terre pour venir à Talia.

— Où vas-tu ?

— A Roum où je resterai temporairement.

— Comment va la Vigile ?

— Comme à l'accoutumée.
— As-tu où te loger à Roum?

Je secouai la tête.

— Nous nous en remettons à la bienveillance de la Volonté.
— La Volonté n'est pas toujours bienveillante, répliqua-t-il d'un air distrait. Et l'on n'a guère besoin de Guetteurs à Roum. Pourquoi voyages-tu avec une Volante?
— Pour avoir de la compagnie. Et parce qu'elle est jeune et réclame protection.
— Qui est l'autre?
— Un hors-confrérie. C'est un Elfon.
— Je le vois bien. Mais pourquoi est-il avec toi?
— Il est robuste et je suis vieux. Alors, nous voyageons ensemble. Où te rends-tu, Pèlerin?
— A Jorslem. Existe-t-il une autre destination pour ceux de ma confrérie?

D'un haussement d'épaules, je convins qu'il n'y en avait pas d'autre.

— Pourquoi ne viendrais-tu pas à Jorslem avec moi? reprit-il.
— Je monte vers le nord. Jorslem est au sud, tout près de l'Ogypte.
— Tu as été en Ogypte mais tu n'es pas allé à Jorslem?
— Non. Le temps n'en était pas venu pour moi.
— Viens à Jorslem, à présent. Nous ferons la route de compagnie, Guetteur, en parlant des temps passés et des temps à venir. Je t'assisterai dans ta Vigile et tu m'assisteras dans ma communion avec la Volonté. Acceptes-tu?

J'étais tenté. Devant mes yeux apparut fugitivement l'image de Jorslem la Dorée, de ses édifices et de ses autels sacrés, de ses lieux de renouveau où les vieillards retrouvent la jeunesse, de ses tours et de ses tabernacles. Bien que je ne sois pas un homme à l'esprit changeant, j'eus envie sur le moment de tourner le dos à Roum et d'accompagner le Pèlerin à Jorslem.

— Mais mes compagnons...
— Laisse-les. Il m'est interdit de voyager avec un sans-

confrérie et je ne désire pas faire le chemin avec une femme. Nous irons seuls à Jorslem tous les deux, Guetteur.

Avluela, qui, pendant toute cette conversation, était restée immobile à mon côté, les sourcils froncés, me lança un regard terrifié.

— Je ne les abandonnerai pas, répondis-je.

— Eh bien, j'irai à Jorslem sans toi.

Une main osseuse, longue, blanche et assurée sortit de dessous sa robe. Du bout des doigts, je touchai respectueusement le bout des siens.

— Que la Volonté te soit miséricordieuse, ami Guetteur, dit le Pèlerin. Et quand tu viendras à Jorslem, mets-toi à ma recherche.

Et, sans un mot de plus, il s'éloigna.

— Tu serais volontiers allé avec lui, n'est-ce pas? me demanda Gormon.

— J'y ai songé.

— Que trouverais-tu de plus à Jorslem qu'à Roum? C'est une ville sainte. Roum aussi. Ici, tu pourras te reposer quelque temps. Tu n'es pas en état de reprendre la route à l'heure qu'il est.

— Tu as peut-être raison, répondis-je — et, rassemblant ce qui me restait encore d'énergie, j'avançai en direction de la porte de Roum.

Des yeux vigilants nous surveillaient derrière les fentes pratiquées dans le mur. Lorsque nous eûmes franchi la moitié de la distance qui nous séparait de l'enceinte, une Sentinelle adipeuse, au visage grêlé et aux bajoues pendantes, nous ordonna de nous arrêter et nous demanda ce que nous venions faire à Roum. Quand j'eus dit à quelle confrérie j'appartenais et quel était mon but, elle poussa un grognement dégoûté.

— Va-t'en ailleurs, Guetteur! Ici, c'est de gens utiles que nous avons besoin.

— Vigiler a son utilité, rétorquai-je d'une voix affable.

— Sans doute, sans doute. (Il lorgna Avluela.) Qui est celle-là? Les guetteurs sont célibataires, non?

— Ce n'est qu'une compagne de route.

La Sentinelle éclata d'un rire gras.

— Je parie que voilà une route que tu parcours souvent! Encore qu'elle soit plutôt gringalette. Quel âge a-t-elle? Treize ans? Quatorze? Approche un peu, ma belle, que je m'assure que tu ne passes pas de marchandises de contrebande.

Il la palpa rapidement, fit une grimace au contact de ses seins et haussa les sourcils en sentant les deux bosses que faisaient ses ailes sous les épaules.

— Qu'est-ce à dire? Tu es mieux fournie par-derrière que par-devant! Tu es une Volante, pas vrai? C'est répugnant pour une Volante de frayer avec des vieux Guetteurs puants.

Il glousa et se mit à tâter le corps d'Avluela d'une manière telle que Gormon bondit avec fureur, le meurtre dans ses yeux cerclés de feu. Je réagis à temps; je le pris par le poignet, le serrant de toutes mes forces, et je le retins avant qu'il ne se jette sur la Sentinelle, ce qui aurait scellé notre sort à tous les trois. Il essaya de se dégager, manquant presque de me renverser. Mais il se calma et capitula sans cesser de regarder férocement le garde ventripotent qui continuait de palper Avluela, soi-disant pour voir si elle ne faisait pas de « contrebande ».

Finalement, la Sentinelle se tourna vers lui et prit un air écœuré :

— Quelle espèce de chose es-tu?

— Un hors-confrérie, Votre Grâce, répondit Gormon d'une voix glaciale. Un humble et indigne produit de la tératogenèse. Et néanmoins un homme libre qui désire entrer dans Roum.

— Nous n'avons pas besoin de monstres chez nous.

— Je mange peu et je travaille dur.

— Tu travaillerais encore plus dur si on te neutralisait.

Gormon le regarda avec colère.

— Pouvons-nous entrer? demandai-je à la Sentinelle.

— Un instant.

Le garde coiffa son bonnet à pensées et, plissant les yeux, se mit en contact avec les silos à mémoire. L'effort crispait ses traits. Enfin, il se décontracta. Quelques secondes plus tard, la réponse lui parvint. Nous n'entendions rien du dialogue mais sa mine désappointée ne laissait nulle place au doute : il était clair que l'on n'avait trouvé aucune raison de nous interdire l'accès de Roum.

— Passez, laissa tomber la Sentinelle. Tous les trois. Dépêchez-vous!

Nous franchîmes la porte.

— J'aurais pu l'éventrer d'un seul coup, dit Gormon.

— Et tu aurais été neutralisé avant la nuit. Il a suffi d'un peu de patience et nous voici dans Roum.

— La façon qu'il avait de la tripoter...

— Tu as une attitude très possessive envers Avluela. N'oublie pas que c'est une Volante et qu'elle est sexuellement interdite à un hors-confrérie.

Il fit mine d'ignorer ma riposte.

— Elle n'éveille pas plus mes sens que les tiens, Guetteur. Mais il m'est insupportable de la voir traitée ainsi. Je l'aurais tué si tu ne m'avais pas retenu.

— Maintenant que nous sommes à Roum, où va-t-on se loger? s'enquit Avluela.

— Laisse-moi d'abord trouver le siège de ma confrérie. Je vais m'inscrire à l'hôtellerie des Guetteurs. Ensuite, nous chercherons la loge des Volants pour y manger.

— Après quoi, nous irons au cloaque des sans-confrérie pour mendier des piécettes, fit sèchement Gormon.

— J'ai pitié de toi parce que tu es un Elfon mais je trouve indécent que tu t'apitoies sur toi-même. Venez.

Tournant le dos au portail, nous enfilâmes une rue tortueuse et caillouteuse qui s'enfonçait au cœur de Roum. Nous nous trouvions à la couronne extérieure de la cité, un quartier d'habitation constitué de bâtiments bas et trapus que surmontait le lourd bouclier des installations de défense. A l'intérieur de ce cercle se dressaient les tours étincelantes que nous avions aperçues la veille au soir en rase campagne, les vestiges de l'ancienne Roum soigneusement préservés depuis dix mille ans et plus, le marché, la zone industrielle, la butte des communications, les temples de la Volonté, les silos à mémoire, les asiles de sommeil, les lupanars des extra-terrestres, les édifices administratifs, les sièges centraux des différentes confréries.

J'avisai à l'angle d'une construction du second cycle à la façade caoutchouteuse un bonnet à pensées public et le coiffai. Instantanément, mes pensées s'engouffrèrent dans le conduit jusqu'au moment où elles rencontrèrent l'opercule biface qui leur permettait d'accéder à l'un des cerveaux stockés dans une cuve à mémoire. Je pénétrai cette membrane et pus voir le cerveau plissé dont la masse d'un gris pâle se détachait sur le vert foncé de son habitacle. Un Souvenant m'avait dit un jour que, dans les cycles passés, les hommes construisaient des machines qui pensaient pour eux, bien qu'elles fussent horriblement coûteuses, très encombrantes et très gourmandes d'énergie. Ce n'était pas là la plus grande sottise de nos ancêtres mais pourquoi fabriquer des cerveaux artificiels alors que la mort libère chaque jour des dizaines et des dizaines d'admirables cerveaux naturels qu'il suffit d'entreposer dans les silos à mémoire? Nos pères ne savaient-ils pas les utiliser? Cela me paraît difficilement croyable.

Je donnai au cerveau l'identification de ma confrérie et lui demandai les coordonnées de notre hôtellerie. Je les obtins immédiatement et nous nous mîmes en route, Avluela à ma gauche, Gormon à ma droite et moi au milieu, tirant comme toujours la carriole transportant mes appareils.

Quelle foule! Je n'avais jamais vu pareille cohue dans l'Ogypte assoupie sous la chaleur torride ni nulle part ailleurs au cours de mon voyage vers le nord. Les rues étaient encombrées de Pèlerins taciturnes et masqués que bousculaient Souvenants affairés et Marchands renfrognés. La litière d'un Maître se frayait de temps à autre passage à travers la presse. Avluela repéra un certain nombre de Volants mais le dogme de sa confrérie lui interdisait de les saluer avant d'avoir subi la purification rituelle. Je regrette de devoir dire que je vis beaucoup de Guetteurs qui me regardèrent tous d'un air méprisant sans m'adresser un mot de bienvenue. Je notai la présence de pas mal de Défenseurs et de tout un échantillonnage de représentants de confréries de moindre dignité : Vendeurs, Serviteurs, Usiniers, Scribes, Communicants et Transporteurs. Naturellement, une armée de neutres vaquait silencieusement à ses humbles tâches et une multitude d'extra-terrestres de toute espèce envahissaient les rues; c'étaient probablement des touristes pour la plupart mais quelques-uns devaient être là pour voir quelles affaires on pouvait faire avec les mornes habitants de la Terre miséreuse. Je remarquai également beaucoup d'Elfons qui se faufilaient clopin-clopant, l'air furtif. Aucun n'avait la mâle prestance de Gormon. Il était unique en son genre. Les autres, la peau mouchetée, bigarrés, asymétriques, sans membres ou affligés de membres surnuméraires, déformés de mille manières avec autant d'imagination que de virtuosité artistique, étaient des avortons, qui louchaient, traînaient la patte, gargouillaient, rampaient. C'étaient des coupeurs de bourses, des pompe-cerveaux, des trafiquants d'organes, des marchands de repentir, des vendeurs d'espérance mais aucun ne se tenait droit comme il sied à un homme.

Les indications du cerveau étaient exactes et en moins d'une heure nous parvînmes à l'hôtellerie des Guetteurs. Je laissai Gormon et Avluela m'attendre dehors et entrai avec ma carriole.

Une douzaine de frères guetteurs paressaient dans la grande salle. Je leur fis le signe de reconnaissance traditionnel qu'ils me rendirent mollement. Était-ce donc là les gardiens sur qui reposait la sécurité de la Terre? Des chiffes et des paltoquets!

— Où puis-je m'inscrire? demandai-je.

— Tu es nouveau? D'où viens-tu?

— J'étais dernièrement inscrit en Ogypte.

— Tu aurais mieux fait d'y rester. On n'a pas besoin de Guetteurs ici.

— Où puis-je m'inscrire? répétai-je.

Un jeune bellâtre désigna du doigt un écran au fond de la salle. Je m'en approchai, pressai sa surface du bout des doigts. On m'interrogea et je donnai mon nom (seul un Guetteur peut prononcer le nom d'un autre Guetteur, et ce uniquement dans l'enceinte d'une hôtellerie). Un panneau s'ouvrit et un homme aux yeux bouffis qui arborait l'emblème des Guetteurs sur la joue droite et dont la gauche était nue, signe du rang élevé qu'il occupait dans la confrérie, répéta mon nom.

— Tu aurais été mieux avisé de ne pas venir à Roum. Nous sommes au delà de notre contingent.

— Je réclame néanmoins un gîte et un emploi.

— Quelqu'un doué d'un tel sens de l'humour aurait dû naître dans la confrérie des Clowns, répliqua-t-il.

— Je ne vois pas ce que cela a de drôle.

— Vu les lois promulguées lors de la dernière session de notre confrérie, une hôtellerie n'est pas obligée de prendre de nouveaux pensionnaires lorsqu'elle a atteint la capacité prescrite. Adieu, l'ami.

J'étais consterné.

— Mais j'ignore tout de cette réglementation ! C'est incroyable ! Une confrérie refusant l'entrée de son hôtellerie à un frère qui se présente exténué et les pieds meurtris ! Un homme de mon âge qui arrive d'Ogypte, qui a traversé le Pont de Terre, dont le ventre crie famine et que l'on traite en étranger à Roum...

— Pourquoi ne pas avoir d'abord pris contact avec nous ?

— Je ne savais pas que c'était nécessaire.

— Les nouveaux règlements...

— Que la Volonté les réduise en poussière ! m'exclamai-je. J'exige d'être logé ! Chasser un homme qui vigilait déjà alors que tu n'étais pas encore né...

— Du calme, frère, du calme !

— Il y a sûrement un coin où je pourrais dormir, quelques miettes à manger...

A mesure que mon ton passait de la fureur à la supplication, son expression passait, elle, de l'indifférence au dédain pur et simple.

— Il n'y a pas de place. Nous n'avons pas de nourriture. Les temps sont durs pour notre confrérie, tu sais. Selon certains bruits qui courent, il est possible que nous soyons congédiés parce que nous constituons un luxe superflu, que nous saignons à blanc les ressources de la Volonté. Nos aptitudes sont très limitées. Il y a excédent de Guetteurs à Roum, de sorte que nous sommes tous rationnés. Si nous t'admettions, cela amenuiserait encore davantage la part de chacun.

— Mais où aller ? Que vais-je faire ?
— Je te conseille de t'en remettre à la miséricorde du prince de Roum, répondit-il d'une voix suave.

3

Quand je rapportai ces paroles à Gormon, il se tordit de rire. Son hilarité était si violente que les stries zébrant ses joues maigres brillaient comme des rayures de sang.
— La miséricorde du prince de Roum ! répétait-il. La miséricorde du prince de Roum...
Je rétorquai sèchement :
— La coutume veut que l'infortuné demande l'aide du chef local.
— Le prince de Roum ignore la miséricorde. Pour apaiser ta faim, il te fera manger tes propres membres.
— Nous devrions peut-être essayer de trouver la loge des Volants, suggéra Avluela. Là, on nous donnera de quoi manger.
— Pas à Gormon, objectai-je. Nous avons des obligations entre nous.
— Nous pourrions lui apporter des aliments.
— Je préfère aller d'abord à la cour. Quand nous saurons quel est exactement notre statut, nous imaginerons un moyen de subsistance s'il y a lieu.
Avluela n'insista pas et nous prîmes le chemin du palais du prince de Roum, massif édifice dominant une colossale esplanade cernée de colonnes se dressant sur la rive opposée du fleuve qui coupe la ville en deux. Sur cette place, nous fûmes accostés par des mendiants de tout poil. Certains n'étaient même pas des Terriens. Un être nanti de tentacules visqueux et d'une figure nervurée dépourvue de nez se jeta sur moi en bredouillant pour me demander la charité et il fallut que Gormon me dégage. Quelques instants plus tard, une autre créature

tout aussi insolite avec sa peau piquetée de cratères luminescents et ses membres ponctués d'yeux m'embrassa les genoux, implorant pitié au nom de la Volonté.

— Je ne suis qu'un pauvre Guetteur, répondis-je en lui montrant ma carriole. Si je suis ici, c'est aussi pour demander pitié.

Mais la créature s'entêtait à me conter ses malheurs d'une voix brouillée et ténue, hachée de sanglots, et, à l'indignation de Gormon, je finis par laisser tomber quelques tablettes nutritives dans la besace qui saillait sur sa poitrine. Nous nous frayâmes à coups d'épaules notre voie mais un spectacle encore plus atroce nous attendait devant le portique du palais : un Volant mutilé dont les membres fragiles étaient déformés et tordus. Une de ses ailes à moitié dépliée était sérieusement écourtée et l'autre totalement arrachée. Il se précipita sur Avluela en l'appelant par un nom qui n'était pas le sien, pleurant des larmes si abondantes qu'elles poissaient et maculaient la fourrure de ses jambières.

— Fais-moi entrer à la loge sous ton patronage, la suppliait-il. Ils m'ont chassé parce que je suis estropié mais si tu me parraines...

Avluela eut beau lui expliquer qu'elle ne pouvait rien pour lui, qu'elle n'appartenait pas à cette loge, elle non plus, le Volant infirme ne la lâchait pas et force fut à Gormon de soulever délicatement le sac d'os secs qu'il était devenu pour que nous puissions passer.

Dès que nous eûmes franchi le portique, trois neutres à l'expression bonasse surgirent, s'enquirent de l'objet de notre visite et nous autorisèrent à gagner la seconde barrière où officiaient deux Coteurs ratatinés qui nous demandèrent en chœur ce que nous voulions.

— Nous sollicitons une audience pour implorer miséricorde, leur répondis-je.

— Les audiences ont lieu dans quatre jours, dit le Coteur de droite. Nous allons enregistrer votre requête.

— Nous n'avons pas d'endroit où dormir, s'écria Avluela. Nous avons faim! Nous...

Je la fis taire. Gormon était en train de fouiller dans son ultrapoche. Dans sa main, quand il la ressortit, luisaient des objets brillants : des pièces d'or, le métal éternel, frappées de têtes barbues au nez busqué. Il les avait trouvées en fouinant dans les ruines. Il en lança une au Coteur qui nous avait opposé cette fin de non-recevoir. L'homme l'attrapa au vol, frotta son pouce contre la face de la monnaie qui disparut instantanément dans un repli de son vêtement. Le second Coteur attendait. Gormon, souriant, lui donna sa pièce.

— Nous pourrons peut-être obtenir la faveur d'une audience spéciale, dis-je.

— Peut-être, acquiesça l'un des deux. Passez.

Nous pénétrâmes ainsi dans le palais proprement dit et nous trouvâmes dans la vaste nef sonore face à l'aile aboutissant à l'abside fermée qui était la salle du trône. Il y avait aussi des mendiants — des mendiants patentés possédant une concession héréditaire — et des hordes de Pèlerins, de Communicants, de Souvenants, de Musiciens, de Scribes et de Coteurs. Je percevais le murmure des prières, je humais l'arôme épicé de l'encens, je sentais les vibrations de gongs souterrains. Au cours des cycles écoulés, cet édifice avait été l'un des lieux de culte de la vieille religion — celle des christiens, m'apprit Gormon, ce qui me fit à nouveau le soupçonner d'être un Souvenant sous le masque d'un Elfon — et il conservait encore quelque chose de son caractère sacré bien qu'il fût désormais le siège du gouvernement séculier de Roum.

Mais comment faire pour voir le prince ? Je remarquai à ma gauche une petite chapelle surchargée d'ornements devant la laquelle s'alignait une file de Marchands et de Propriétaires à la mine prospère et qui avançait lentement. J'avisai alors trois crânes fixés à une guérite d'interrogation — un terminal de silo à mémoire — près de laquelle se tenait un Scribe musclé. Je dis à Gormon et à Avluela de m'attendre dans la travée et me mis à la queue.

Elle n'avançait que pas à pas et il me fallut près d'une heure pour parvenir à l'interrogateur. Les crânes me contemplaient avec indignation de leur regard aveugle. Sous leur calotte hermétiquement scellée bouillonnaient et gargouillaient les fluides nutritifs qui entretenaient les cerveaux morts bien que toujours fonctionnels dont les milliards de milliards de synapses servaient maintenant d'appareils mnémoniques à l'efficacité incomparable. Le Scribe parut stupéfait de voir un Guetteur dans la file mais avant qu'il eût pu protester, je lâchai tout à trac :

— Je suis un étranger qui vient implorer la miséricorde du prince. Mes compagnons et moi sommes sans abri. Ma propre confrérie m'a chassé. Que dois-je faire? Comment puis-je obtenir une audience?

— Reviens dans quatre jours.

— Il y a bien plus de quatre jours que je dors à la belle étoile. J'ai besoin, à présent, de me reposer dans des conditions plus confortables.

— Une auberge publique...

— Mais je suis membre d'une confrérie! protestai-je. Les auberges publiques ne m'accepteront pas puisque ma confrérie possède son hôtellerie et celle-ci refuse de me loger en raison de je ne sais quelle nouvelle réglementation. Tu vois dans quelle situation je me trouve.

— Tu n'as qu'à solliciter une audience spéciale, dit alors le Scribe d'une voix lasse. La réponse sera négative mais tu peux faire une demande.

— Où?

— Ici. Expose ta supplique.

Je déclinai aux crânes mon identité publique ainsi que le nom et la condition de mes deux compagnons, puis exposai mon cas. Toutes ces données furent absorbées et transmises aux cerveaux montés en série quelque part dans les entrailles de la cité. Quand j'en eus fini, le Scribe conclut :

— Si ta requête est acceptée, tu en seras averti.

— Où attendrai-je d'ici là?

— Près du palais si tu veux mon avis.

Je compris : je pouvais me joindre aux légions de misérables qui s'agglutinaient sur l'esplanade. Combien de ces malheureux avaient-ils sollicité une faveur spéciale du prince et attendaient-ils depuis des mois — ou des années — d'être convoqués, dormant sur le pavé, mendiant quelques croûtons et se nourrissant d'un vain espoir?

Mais j'avais exploré toutes les voies possibles. Je retournai auprès de Gormon et d'Avluela, leur expliquai la situation et leur proposai de nous mettre sans plus de retard à la recherche d'une solution quelconque. Gormon serait accueilli dans n'importe laquelle des sordides auberges publiques ouvertes aux hors-confrérie comme lui. Avluela trouverait probablement un gîte à la loge de sa confrérie. Moi seul serais obligé de dormir dans la rue — et ce ne serait pas la première fois. Mais j'espérais que nous ne serions pas forcés de nous séparer. Si étrange que cela soit de la part d'un Guetteur, j'avais fini par considérer que nous formions tous les trois une sorte de famille.

Comme nous nous dirigions vers la sortie, ma montre me chuchota que l'heure de la Vigile était venue. Il me fallait — c'était mon devoir et mon privilège — exécuter ma veille où que je fusse et quelles que soient les circonstances lorsque c'était l'heure. Je m'arrêtai donc, ouvris ma carriole et activai mes instruments tandis que Gormon et Avluela s'immobilisaient à côté de moi. Ceux qui entraient dans le palais ou qui en sortaient souriaient en me voyant faire quand ils ne se moquaient pas ouvertement de moi. La Vigile n'avait pas très bonne presse car nous veillions depuis bien longtemps et jamais l'ennemi annoncé ne s'était manifesté. Cependant, chacun a son devoir à accomplir, même si cela paraît cocasse aux yeux d'autrui. Ce qui n'est pour l'un qu'un rite sans substance est pour l'autre l'œuvre de toute sa vie.

Obstiné, je me plaçai malgré tout en état de vigilance. Le monde se délita et je plongeai en plein firmament. Baignant dans une joie familière, je scrutai les endroits que je connaissais bien et d'autres que je connaissais moins bien, et mon esprit magnifié fondait impétueusement sur les galaxies. Une armada était-elle en train de se rassembler? Des troupes s'entraînaient-elles en vue de la conquête de la Terre? Je prenais le guet quatre fois par jour et les autres frères en faisaient autant, chacun à une heure un peu différente de sorte qu'il y avait sans cesse un esprit à l'affût. Je ne crois pas que ce soit là une vocation ridicule.

Quand j'émergeai de ma transe, j'entendis une voix hautaine :

— ... au prince de Roum! Faites place au prince de Roum!

Je clignai des yeux, retins mon souffle et m'efforçai de chasser les derniers vestiges de ma concentration. Un palanquin chamarré d'or que portait une phalange de neutres était sorti de la partie arrière du palais et avançait le long de la nef, droit sur moi, flanqué de quatre hommes arborant les somptueux atours et les masques brillants de la confrérie des Maîtres et précédé par un trio d'Elfons trapus et larges d'épaules dont le larynx avait été modifié de façon à reproduire la structure de la gorge du crapaud-buffle. Ils émettaient à chaque pas un majestueux appel de trompette. Je trouvai fort singulier qu'un prince eût à son service des Elfons, même aussi talentueux que ceux-là.

Mon véhicule était en travers du chemin de ce resplendissant cortège. Je me hâtai de le refermer et de le pousser de côté avant que la procession arrive à ma hauteur. Comme j'étais là à tâtonner avec une gaucherie croissante, les Elfons imbus de leur suffisance s'approchèrent à tel point que leurs barrissements étaient assourdissants et Gormon fit mine de vouloir me prêter main-forte, m'obligeant à lui souffler qu'il était interdit à toute personne étrangère à ma confrérie de toucher mes équipements. Je le repoussai. Un instant plus tard, une avant-garde de neutres se rua sur moi dans l'intention évidente de me faire dégager à coups de fouet.

— Au nom de la Volonté, je suis un Guetteur! m'écriai-je.

Alors, comme une antienne, une voix profonde, sereine, énorme laissa tomber :

— Qu'on le laisse. C'est un Guetteur.

Tout mouvement cessa. Le prince de Roum avait dit.

Les neutres reculèrent. Les Elfons se turent. Les porteurs déposèrent le palanquin à terre. Tous ceux qui se trouvaient dans la nef avaient fait place nette sauf Gormon, Avluela et moi-même. Les miroitants rideaux de mailles de la litière s'écartèrent. Deux Maîtres bondirent et tendirent la main à travers la barrière sonique pour aider leur monarque. La barrière se dissipa avec une plainte bourdonnante.

Le prince de Roum apparut.

Qu'il était jeune! Ce n'était qu'un adolescent aux cheveux noirs et touffus, au visage lisse. Mais il était né pour régner et, malgré sa jeunesse, il émanait de lui une autorité sans égale. Ses lèvres étroites étaient comme un fil, son nez aquilin acéré et agressif, ses yeux froids étaient des lacs sans fond. Il portait le costume orfévré de la confrérie des Dominateurs, la croix à double barre des Défenseurs incisait sa joue et il avait autour du cou l'écharpe noire des Souvenants. Un Dominateur peut s'inscrire à autant de confréries qu'il veut et il serait insolite qu'un Dominateur ne soit pas aussi un Défenseur mais j'étais stupéfait que le prince fût également un Souvenant. En principe, les violents n'appartiennent pas à cette confrérie.

Il me considéra avec un intérêt mitigé et dit :

— Tu as choisi un endroit singulier pour faire Vigile, vieil homme.

— C'est l'heure qui choisit le lieu, sire, répondis-je. Je ne pouvais savoir que vous deviez sortir.

— Ta veille ne t'a pas fait déceler d'ennemis?

— Aucun, sire.

Je me préparai à saisir l'occasion aux cheveux, à profiter de l'apparition imprévue du prince pour implorer son aide mais le peu d'intérêt qu'il me portait déjà mourut comme s'éteint une bougie fondue et je n'osai me rappeler à son attention lorsqu'il tourna la tête. Il dévisagea Gormon quelques instants en fronçant les sourcils et en se tiraillant le menton. Puis son regard se posa sur Avluela. Ses yeux étincelèrent, sa mâchoire frémit, ses narines délicates se dilatèrent.

— Approche ici, petite Volante, ordonna-t-il en lui faisant signe d'avancer. Es-tu une amie de ce Guetteur?

Avluela, terrifiée, fit oui de la tête.

Le prince allongea le bras, l'empoigna et la hissa sur le palanquin. Puis avec un sourire si maléfique qu'on aurait dit la caricature de la perversité, le jeune Dominateur l'attira derrière le rideau. Instantanément, deux Maîtres rétablirent la barrière sonique. Mais la procession ne se remit pas en marche. Je restai là, muet. Gormon était pétrifié, son corps musclé aussi rigide qu'un bout de bois. Je tirai ma charrette un peu à l'écart. De longues minutes s'écoulèrent. Les courtisans silencieux affectaient discrètement de ne pas regarder du côté du palanquin.

Enfin, le rideau s'écarta à nouveau. Avluela sortit en chancelant. Son visage était pâle et ses paupières battaient à petits coups rapides. Elle avait l'air hébété. Ses joues marbrées de traînées de sueur luisaient. Elle manqua de tomber mais un neutre la rattrapa et la poussa à bas du palanquin. Ses ailes partiellement dressées sous sa tunique la rendaient bossue et me disaient combien était grande sa détresse. Elle nous rejoignit d'un pas titubant, tremblante, sans dire un mot, me lança un bref coup d'œil et se précipita sur la large poitrine de Gormon.

Les porteurs soulevèrent le palanquin et le prince de Roum sortit de son palais.

Quand il fut parti, Avluela balbutia d'une voix rauque :

— Le prince nous a autorisés à loger à l'hôtellerie royale !

4

Les hôteliers ne nous crurent naturellement pas.

Les invités du prince étaient logés à l'hôtellerie royale située au milieu d'un petit jardin de gélivelles et de fougères fleuries derrière le palais. Les clients habituels de l'établissement étaient des Maîtres ou, occasionnellement, des Dominateurs. Parfois, un Souvenant particulièrement important en mission de recherche y obtenait un gîte — ou un Défenseur de haut rang effectuant une inspection à but stratégique. Admettre un Volant dans une hôtellerie royale était franchement insolite. Y accueillir un Guetteur était une éventualité improbable. Mais qu'une hôtellerie royale ouvre ses portes à un Elfon ou à un quelconque hors-confrérie était inconcevable. Aussi, quand nous nous présentâmes, fûmes-nous reçus par des Serviteurs qui, d'abord, rirent bien fort de la plaisanterie. Mais leur bonne humeur céda la place à l'irritation, puis au mépris.

— Allez-vous-en, pouilleux! Canailles! nous signifièrent-ils.

— Le prince nous a accordé son hospitalité, riposta Avluela d'une voix grave. Vous ne pouvez nous mettre à la porte.

— Arrière! Arrière!

Un Serviteur aux dents proéminentes brandit une neurotrique sous le nez de Gormon, accompagnant son geste d'une remarque ordurière à propos des sans-confrérie. Mon compagnon lui arracha son arme sans que le douloureux picotement le fît sourciller et en frappa en plein ventre le Serviteur qui se plia en deux et s'écroula en vomissant. Aussitôt, toute une équipe de neutres se ruèrent hors de l'hôtellerie. Gormon s'empara d'un autre Serviteur et le projeta sur eux, semant la confusion dans leurs rangs. Les hurlements et les jurons attirèrent l'attention d'un vénérable Scribe qui sortit en se dandinant sur le pas de la porte, réclama le silence et nous interrogea.

— C'est facile à vérifier, laissa-t-il tomber quand Avluela lui eut raconté notre histoire. Envoie une pensée aux Coteurs, ajouta-t-il sur un ton dédaigneux à l'adresse d'un Serviteur. Et vite!

Au bout du compte, tout fut éclairci et nous pûmes entrer. On nous donna des chambres séparées mais communicantes. Je n'avais jamais connu un pareil luxe et peut-être ne le connaîtrai-je jamais plus de nouveau. Les chambres étaient longues, hautes et profondes. On y pénétrait en empruntant un puits télescopique réglé sur le dégagement calorique de l'utilisateur afin de protéger son intimité. Des luminaires s'allumaient au moindre signe de tête car des spicules de lumière-esclave importés d'un des mondes de l'Étoile Filante et entraînés par la méthode de la douleur à obéir à cet ordre étaient suspendus dans des globes plafonniers ou placés dans de petites coupes. Les fenêtres apparaissaient et disparaissaient selon le bon plaisir de l'occupant. Quand elles n'étaient pas en service, elles étaient dissimulées derrière des serpentins diaphanes dotés d'une quasi-sensibilité d'origine extra-terrestre qui, outre leur fonction décorative, étaient aussi des moniteurs produisant de délicieux parfums selon le mélange demandé. Les chambres étaient équipées de bonnets à pensées individuels connectés aux principales banques mémorielles. Ils étaient de même munis de câbles permettant d'appeler des Serviteurs, des Scribes, des Coteurs ou des Musiciens si l'on en avait envie. Bien entendu, un homme appartenant à une confrérie aussi humble que la mienne n'aurait jamais eu l'idée d'utiliser ainsi d'autres humains, de crainte de s'attirer leurs foudres. D'ailleurs, je n'avais guère besoin de tels services.

Je m'abstins de demander à Avluela ce qui s'était passé dans le palanquin du prince pour que nous échoie tant de munificence. Je l'imaginais sans peine, tout comme Gormon dont la fureur intérieure qu'il avait toutes les difficultés du monde à refouler trahissait l'amour inavoué qu'il portait à ma délicate et pâle petite Volante.

Nous nous installâmes. Je plaçai ma carriole à côté de la fenêtre drapée de mousseline, prête pour ma prochaine veille, et me lavai tandis que des entités incorporées dans le mur me chantaient des mélodies apaisantes. Après quoi, je me restaurai. Un peu plus tard, Avluela, rafraîchie et reposée, vint me rejoindre et nous parlâmes de nos diverses expériences. Gormon ne se montra pas avant des heures et je me pris à penser qu'il avait tout bonnement quitté l'hôtellerie, trouvant son atmosphère trop raffinée, pour chercher compagnie parmi les hors-confrérie de son espèce. Mais, au crépuscule, lorsque je sortis avec Avluela dans le cloître de l'établissement et gravis une rampe dans l'intention de voir les étoiles s'allumer dans le ciel de Roum, je tombai sur lui. Il était en train de bavarder à mi-voix avec un individu efflanqué au visage émacié portant l'écharpe des Souvenants.

Il m'adressa un signe de tête.

— Je te présente mon nouvel ami, Guetteur.

L'autre tirailla son écharpe.

— Je suis le Souvenant Basil, psalmodia-t-il d'une voix pas plus épaisse que ne l'eût été une fresque décollée. J'arrive de Perris pour exhumer les mystères de Roum. J'y demeurerai bien des années.

— Le Souvenant a de belles histoires à raconter, fit Gormon. Il compte parmi les plus éminents maîtres de sa confrérie. Il était justement en train de m'expliquer les méthodes grâce auxquelles se révèle le passé. On creuse une tranchée à travers les strates des dépôts du troisième cycle et à l'aide de trépans aspirants, on prélève les molécules de terre jusqu'à dénuder les anciennes couches sous-jacentes.

— Nous avons retrouvé les catacombes de la Roum impériale, précisa Basil, et les décombres du temps du Grand Bouleversement, les livres écrits sur des lames de métal blanc que l'on composait vers la fin du second cycle. Tous ces spécimens seront expédiés à Perris pour y être examinés, classés et déchiffrés. Ils seront restitués ensuite. Le passé t'intéresse, Guetteur ?

— Jusqu'à un certain point. Cet Elfon ici présent, ajoutai-je en souriant, se passionne beaucoup plus que moi pour l'histoire, à tel point que je doute parfois de son orthodoxie. Saurais-tu reconnaître un Souvenant déguisé ?

Basil scruta longuement le faciès bizarre et la musculature exagérée de Gormon.

— Ce n'est pas un Souvenant, déclara-t-il enfin, mais je conviens qu'il a le goût de l'Antiquité. Il m'a posé nombre de questions pénétrantes.

— Par exemple ?

— Il désire connaître l'origine des confréries. Il m'a demandé comment s'appelait le chirurgien génétique qui a créé les premiers Volants de souche pure. Il voudrait savoir pourquoi les Elfons existent et s'il est vrai que pèse sur eux la malédiction de la Volonté.

— Et tu connais les réponses à ces questions ?

— A quelques-unes.

— L'origine des confréries ?

— Leur raison d'être était de donner une armature et une signification à une société vaincue et désintégrée. A la fin du second cycle, tout allait à vau-l'eau. La Terre était occupée par des extra-terrestres méprisants qui nous considéraient comme du néant. La nécessité se fit alors sentir d'instituer des cadres de référence fixes grâce auxquels un homme serait en mesure de déterminer sa valeur par rapport à un autre homme. Ainsi apparurent les premières confréries : les Dominateurs, les Maîtres, les Marchands, les Propriétaires, les Vendeurs et les Serviteurs. Vinrent ensuite les Scribes, les Musiciens, les Clowns et les Transporteurs. Dès lors, les Coteurs s'avérèrent indispensables, de même que les Guetteurs et les Défenseurs. Quand les Années de la Magie eurent engendré les Volants et les Elfons, ces deux confréries s'ajoutèrent aux autres. Enfin, il y eut les hors-confrérie et les neutres de sorte que...

Avluela l'interrompit :

— Mais les Elfons sont aussi des hors-confrérie, voyons!

Le Souvenant la regarda pour la première fois.

— Qui es-tu, mon enfant?

— Avluela, de la confrérie des Volants. Je voyage avec ce Guetteur et cet Elfon.

— Comme je le disais à l'Elfon ici présent, reprit Basil, ceux de son espèce constituaient originellement une confrérie de plein droit. Celle-ci fut dissoute il y a mille ans sur ordre du conseil des Dominateurs à la suite d'une tentative manquée faite par une fraction d'Elfons dévoyés pour s'emparer des lieux saints de Jorslem. Depuis, les Elfons sont hors-confrérie. Ils ont seulement le pas sur les neutres.

— Je ne savais pas cela, dis-je.

— Tu n'es pas un Souvenant, répliqua Basil d'un air avantageux. Dévoiler le passé est notre vocation.

— Il est vrai.

— Et combien y a-t-il de confréries aujourd'hui? s'enquit Gormon.

— Une centaine au bas mot, répondit vaguement Basil mortifié. Certaines très petites, d'autres purement locales. Je m'intéresse exclusivement aux confréries primordiales et à celles qui leur ont immédiatement succédé. Ce qui s'est passé durant les derniers cycles n'est pas de notre compétence. Veux-tu que je me renseigne?

— Aucune importance. C'était une question oiseuse.

— Tu es doué d'une curiosité dévorante.

— Je trouve le monde et tout ce qu'il contient extrêmement captivant. Est-ce mal ?

— C'est étrange. Les hors-confrérie lèvent rarement les yeux au delà de leur horizon limité.

Sur ces entrefaites un Serviteur survint et, avec un respect teinté de mépris, il fit une génuflexion devant Avluela.

— Le prince est de retour, lui dit-il. Il souhaite ta compagnie. Mais au palais, cette fois.

Une lueur d'effroi s'alluma dans les yeux d'Avluela. Mais refuser l'invitation était impensable.

— Dois-je te suivre ?

— S'il te plaît. Revêts une robe de cérémonie et parfume-toi. Le prince veut aussi que tu te présentes à lui ailes ouvertes.

Elle acquiesça et s'éloigna sur les talons du Serviteur.

Nous restâmes encore un moment à deviser. Le Souvenant Basil évoquait la Roum des jours anciens, je l'écoutais, Gormon fouillait l'obscurité du regard. Enfin, la gorge sèche, le Souvenant s'excusa et se retira avec solennité. Quelques instants plus tard, une porte s'ouvrit dans la cour juste au-dessous de nous et Avluela en émergea. Elle marchait comme si c'était à la confrérie des Somnambules et non à celle des Volants qu'elle appartenait. Elle était nue sous des voiles transparents et son corps fragile luisait d'un éclat blême et fantomatique sous les étoiles. Ses ailes déployées palpitaient faiblement dans un triste mouvement de systole et de diastole. Les deux Serviteurs qui la tenaient par le coude avaient l'air d'entraîner vers le palais une copie onirique d'elle-même et non une femme réelle.

— Envole-toi, Avluela ! gronda Gormon. Fuis pendant que tu le peux encore !

Elle disparut à l'intérieur du palais.

L'Elfon se tourna vers moi :

— Elle s'est vendue au prince pour que nous ayons un toit.

— C'est ce qu'il semble.

— Je raserais bien ce palais !

— Tu l'aimes ?

— Ça doit se voir.

— Guéris-toi de cet amour, lui conseillai-je. Tu es un

homme hors du commun mais il n'en demeure pas moins qu'une Volante n'est pas pour toi. Surtout une Volante qui a partagé le lit du prince de Roum.

— Elle est passée de mes bras dans les siens.

— Tu l'as donc connue ?

J'étais éberlué.

Il eut un sourire triste.

— Plus d'une fois. Au moment de l'extase, ses ailes battent comme feuilles dans la tempête.

Je me cramponnai à la balustrade du parapet de crainte de dégringoler et de m'écraser dans la cour. Les étoiles tournoyaient vertigineusement, la vieille lune et ses deux suivantes sans visage faisaient des bonds saccadés dans le ciel. J'étais bouleversé sans comprendre entièrement, toutefois, la cause de mon émoi. Était-ce de la colère contre l'Elfon qui avait osé violer le canon de la loi ? Ou la manifestation de mes sentiments pseudo-paternels envers Avluela ? Ou étais-je simplement jaloux de ce Gormon qui avait eu l'audace de commettre un crime hors de ma portée mais nullement de mes désirs ?

— On pourrait pour cela te griller la cervelle et laminer ton âme. Et voilà que tu fais de moi ton complice !

— Et alors ? Le prince ordonne et il est obéi. Mais il y en a eu d'autres avant lui. J'avais besoin de parler de ça à quelqu'un.

— Tais-toi !

— La reverrons-nous ?

— Les princes se lassent vite de leurs maîtresses. D'ici quelques jours, peut-être même après une seule nuit, il la chassera et nous la rendra. Et nous devrons sans doute alors quitter l'hôtellerie. Au moins, ajoutai-je en soupirant, au moins aurons-nous logé plus longtemps que nous ne le méritions.

— Et où iras-tu ?

— Je compte rester quelque temps à Roum.

— Et dormir à la belle étoile ? Les Guetteurs n'ont pas l'air d'être très demandés, ici.

— Je me débrouillerai. Plus tard, il est possible que j'aille à Perris.

— Pour t'instruire auprès des Souvenants ?

— Pour voir Perris. Et toi? Qu'est-ce qui t'intéresse à Roum?

— Avluela.

— Cesse de parler de cela!

— Fort bien, fit-il avec un sourire amer. Mais j'attendrai que le prince soit fatigué d'elle. Alors, elle sera mienne et nous nous arrangerons pour subsister. Les hors-confrérie ne manquent pas d'ingéniosité. Dame! Ils sont bien forcés! On restera peut-être quelque temps en jouant les squatters et on ira avec toi à Perris... si tu acceptes de voyager en compagnie d'un monstre et d'une Volante perfide.

Je haussai les épaules.

— Nous en reparlerons le moment venu.

— As-tu déjà eu l'occasion de fréquenter des Elfons?

— Rarement. Et pas longtemps.

— Tu me vois très honoré. (Il pianota sur la balustrade.) Ne me lâche pas, Guetteur. J'ai mes raisons pour vouloir demeurer en ta compagnie.

— Lesquelles?

— Je veux voir la tête que tu feras quand tes appareils t'avertiront que l'invasion de la Terre est commencée.

Je m'affaissai sur moi-même, le dos voûté.

— Eh bien, tu n'es pas près de me quitter.

— Tu ne crois pas que l'invasion est imminente?

— Elle se produira un jour. Mais pas de sitôt.

Il pouffa.

— Tu te trompes. L'envahisseur est pour ainsi dire déjà là.

— Tu n'es pas drôle.

— Que t'arrive-t-il, Guetteur? As-tu perdu la foi? On sait depuis mille ans qu'une autre race convoite la Terre qui lui appartient par traité et qu'elle viendra tôt ou tard réclamer son dû. C'est ce qui a été décidé à la fin du second cycle, en tout cas.

— Je sais tout cela bien que je ne sois pas un Souvenant. (Brusquement, je me tournai vers lui et des paroles que je n'avais jamais imaginé que je prononcerais à haute voix jaillirent de ma bouche :) Pendant une durée égale à deux fois ton existence, Elfon, je me suis mis à l'écoute des étoiles et j'ai vigilé. Une chose que l'on fait si souvent finit par perdre son sens. Répète dix mille fois ton propre nom et ce n'est plus alors qu'un son vide et creux. J'ai vigilé, et bien vigilé, mais parfois, au cœur de la nuit, je songe que je veille pour rien, que j'ai gâché ma vie. La Vigile a ses joies mais elle n'a peut-être pas de signification réelle.

Il me saisit par le poignet.

— Cette confession est aussi scandaleuse que l'aveu que je t'ai fait tout à l'heure. Garde ta foi, Guetteur. L'invasion est proche !

— Comment peux-tu le savoir ?

— Les hors-confrérie ont leurs petits talents, eux aussi.

Ces propos me troublaient.

— Est-il pénible d'être sans confrérie ?

— On s'y habitue. Et l'absence de statut personnel est compensée par une certaine liberté. Je peux parler librement à tout le monde.

— Je m'en aperçois.

— Je me déplace à ma guise. Je suis toujours assuré d'avoir de la nourriture et un logement, même si la nourriture est pourrie et le logement insalubre. J'attire les femmes en dépit de tous les interdits — ou à cause d'eux, peut-être. Je ne suis pas rongé par l'ambition.

— Tu n'as jamais aspiré à t'élever au-dessus de ta condition ?

— Jamais.

— Tu serais sans doute plus heureux si tu étais un Souvenant.

— Je suis heureux tel que je suis. Je puis avoir toutes les satisfactions des Souvenants sans assumer leurs responsabilités.

— Quelle suffisance ! m'écriai-je. Faire de la non-appartenance aux confréries une vertu !

— Comment supporter autrement le poids de la Volonté ? (Il tourna son regard vers le palais.) L'humble s'élève et le puissant tombe. Considère ces mots comme une prophétie, Guetteur : ce prince plein de vigueur aura reçu une bonne leçon avant l'été. Je lui crèverai les yeux pour le punir d'avoir pris Avluela.

— Tu n'y vas pas de main-morte. Ce soir, c'est la trahison qui parle par ta bouche.

— Je te répète que c'est une prophétie.

— Tu ne pourras jamais t'approcher suffisamment de lui. (Agacé d'avoir pris ces sottises au sérieux, j'ajoutai :) Et qu'as-tu à lui reprocher ? Il ne fait que ce que font les princes. C'est à elle que tu devrais reprocher de l'avoir rejoint. Elle aurait pu refuser.

— Pour qu'il lui fasse couper les ailes ou qu'il la tue. Non, elle n'avait pas le choix. Moi, si !

Brusquement, dans un geste terrible, l'Elfon lança en avant un pouce et un index désarticulés et crochus, faisant mine de les enfoncer dans une paire d'yeux imaginaires :

— Attends. Tu verras !

Deux Chronomanciens apparurent dans la cour. Ils installèrent les appareillages de leur confrérie et allumèrent les cierges permettant de déterminer de quoi serait fait le lendemain. Une fumée blême à l'odeur écœurante monta à mes narines. Je n'eus, soudain, plus envie de poursuivre la conversation.

— Il se fait tard. J'ai besoin de me reposer et il va bientôt falloir que je prenne ma veille.

— Veille avec attention, me répondit Gormon.

5

Cette nuit, dans ma chambre, lorsque j'accomplis la quatrième et dernière Vigile de cette longue journée, je détectai pour la première fois de ma vie une anomalie. Mais j'étais incapable de l'interpréter. C'était une sensation obscure, un mélange de saveurs et de sons, l'impression d'un contact avec une masse colossale. Soucieux, je demeurai beaucoup plus longtemps que d'habitude à l'écoute mais ce que je percevais ne fut pas plus clair à la fin de la séance qu'au commencement.

Quand j'en eus terminé, je me pris à réfléchir aux obligations de ma charge.

Dès l'enfance, on inculque aux Guetteurs qu'il faut donner rapidement l'alarme et le Guetteur la lance s'il juge que le monde est en danger. Devais-je donc prévenir les Défenseurs ? Au cours de mon existence, l'alarme avait été donnée à quatre reprises et, chaque fois, ç'avait été une fausse alerte. Les Guetteurs qui avaient provoqué une mobilisation pour rien l'avaient payé cher. L'un d'eux avait fait le don de son cerveau aux banques mémorielles. Un autre était devenu neutre par mortification. Le troisième avait brisé ses instruments et rejoint les hors-confrérie. Quant au dernier, il avait en vain tenté de continuer dans la même profession et s'était aperçu qu'il était un objet de risée pour tous ses collègues. Pour ma part, je ne voyais aucune raison d'accabler celui qui avait lancé une fausse alerte. Mieux vaut qu'un Guetteur lance l'alarme trop tôt que trop tard. Mais c'étaient là les coutumes de notre confrérie et elles me liaient.

J'examinai la situation et conclus que je n'avais pas de mobiles valables pour donner l'alerte. Gormon m'avait mis des idées obsédantes dans la tête : peut-être était-ce simplement la conséquence de ses propos moqueurs au sujet d'une invasion imminente.

Je ne pouvais rien faire. Je n'osais pas me déconsidérer en criant précipitamment au loup. Je me méfiais de mes propres émotions.

Et je m'abstins.

Tourmenté, troublé, en proie à des sentiments contradictoires, je refermai ma carriole et m'endormis comme une souche.

En me réveillant, à l'aube, je me précipitai à la fenêtre, m'attendant à voir les envahisseurs dans la rue. Mais tout était calme. Une grisaille hivernale baignait la cour où des Serviteurs ensommeillés bousculaient des neutres apathiques. Le cœur serré d'angoisse, j'effectuai ma première Vigile de la journée et constatai avec soulagement que la bizarre sensation de la veille ne se renouvelait pas, encore que ma sensibilité, je ne l'ignorais pas, fût toujours plus aiguë de nuit que de jour.

Après avoir déjeuné, je descendis dans la cour. Gormon et Avluela y étaient déjà. La petite Volante paraissait épuisée et abattue mais je me gardai de faire la moindre allusion à la nuit qu'elle avait passée avec le prince. L'Elfon, adossé à un mur orné de coquilles de radiaires, me demanda si ma Vigile s'était bien déroulée.

— Pas trop mal.

— Quels sont tes projets pour aujourd'hui ?

— Je vais me promener dans Roum. Vous m'accompagnez, vous deux ?

— Bien sûr, répondit-il, tandis qu'Avluela acquiesçait mollement du menton.

Et, comme les touristes que nous étions, nous nous mîmes en route pour visiter les splendeurs de la cité.

Gormon, qui affirmait n'y avoir jamais mis les pieds, désavoua ses propres assertions en jouant le rôle de guide. Il dissertait aussi bien qu'un Souvenant sur tout ce que nous voyions en déambulant à travers les rues tortueuses. Les témoignages épars des millénaires s'offraient aux regards. Nous examinâmes les dômes à énergie du second cycle et le Colosseum où, à une époque incroyablement reculée, l'homme et le fauve s'affrontaient comme des bêtes dans la jungle. Dans la carcasse démantelée de ce lieu d'horreur, Gormon évoqua la sauvagerie de cette période qui se perdait dans la nuit des temps.

— Ils combattaient nus devant des foules immenses. Les hommes, armés de leurs seuls poings, se mesuraient à des animaux appelés lions, des sortes de gros chats velus à la tête énorme. Et quand le lion gisait dans son sang, son vainqueur se tournait vers le prince de Roum et lui demandait de l'absoudre du crime pour lequel il avait été jeté dans l'arène. S'il s'était bien battu, le prince faisait ce geste et l'homme était libéré. (Gormon nous montra le geste : il leva le pouce et le secoua à plusieurs reprises d'avant en arrière.) Mais si l'autre avait fait preuve de couardise ou si le lion était mort vaillamment, le prince faisait un geste différent et l'homme était massacré par une seconde bête.

Derechef, l'Elfon nous fit une démonstration : le poing fermé et brandi de manière saccadée, le majeur tendu.

— Comment sait-on tout cela ? s'enquit Avluela.

Mais Gormon fit mine de ne pas avoir entendu.

Nous vîmes les pylônes à fusion construits au début du troisième cycle pour capter l'énergie du noyau de la Terre. Ils étaient encore en état de marche bien qu'ils fussent ternis et corrodés. Nous vîmes les restes d'une machine météorologique brisée : c'était encore une puissante colonne haute de vingt fois la taille d'un homme. Nous vîmes une colline sur laquelle des bas-reliefs de marbre blanc du premier cycle pointaient tels de pâles massifs de fleurs hivernales. En nous dirigeant vers l'intérieur de la cité, nous parvînmes à un glacis hérissé d'amplificateurs stratégiques prêts à cracher la puissance même de la Volonté sur l'envahisseur. Nous aperçûmes un marché où des visiteurs stellaires marchandaient des fragments de pièces d'antiquité exhumés par des paysans. Gormon se mêla à la foule et fit plusieurs acquisitions. Nous entrâmes dans une maison de plaisir à l'usage des voyageurs d'outre-espace où l'on pouvait acheter n'importe quoi, depuis de la quasi-vie jusqu'à des monceaux de glace à passion. Nous mangeâmes dans un petit restaurant au bord du fleuve Tebr où l'on servait les hors-confrérie sans faire de façons et, sur l'insistance de Gormon, nous dégustâmes une substance à la consistance pâteuse et à la saveur sucrée, arrosée d'un vin jaune aigrelet, deux spécialités locales.

Après le repas, nous longeâmes des arcades couvertes dans les nombreux passages desquelles des Vendeurs joufflus proposaient aux chalands des objets importés des étoiles, de coûteux colifichets fricains et les produits de camelote de l'artisanat régional. Nous débouchâmes sur une petite place ornée d'une fontaine en forme de bateau au delà de laquelle s'élevait une volée de marches craquelées et usées aboutissant à une terrasse recouverte de gravats et d'herbes folles. Obéissant à l'ordre muet de Gormon, nous traversâmes tant bien que mal ce triste endroit et atteignîmes un somptueux palais datant apparemment du second cycle, sinon du premier, qui se dressait, lugubre, au-dessus de la butte envahie par la végétation.

— On prétend que c'est ici le centre du monde, nous expliqua l'Elfon. Il y a à Jorslem un autre édifice qui revendique le même honneur. Ce point est indiqué par une carte.

— Comment le monde peut-il avoir un centre puisqu'il est rond ? objecta Avluela.

Gormon se mit à rire et nous entrâmes dans le bâtiment. Dans l'obscurité glaciale s'érigeait un colossal globe serti de joyaux qu'illuminait une sorte de lumière intérieure.

— Voici votre monde, dit Gormon avec un geste grandiloquent.

— Oh ! Tout est là ! balbutia Avluela. Tout !

Le globe était un chef-d'œuvre de travail. Il montrait les configurations et les élévations naturelles, les mers semblaient être de profondes nappes liquides, les déserts étaient si calcinés que leur seule vue vous desséchait le gosier, les cités bouillonnaient de vigueur et de vie. Je contemplai les continents — Eyrop, Frique, Aïs, Stralya. Je promenai mon regard sur l'immensité de l'océan Terre. Je traversai la langue d'or du Pont de Terre que j'avais péniblement franchie à pied peu de temps auparavant.

Avluela bondit en avant, désignant tour à tour du doigt Roum, l'Ogypte, Jorslem, Perris. Elle tapota les hautes montagnes au nord d'Hind et murmura :

— C'est ici que je suis née, là où la glace règne, là où les cimes touchent les lunes. C'est ici qu'est le royaume des Volants. (Son doigt glissa en direction de Fars et au delà, jusqu'au terrible désert d'Anbie, jusqu'à l'Ogypte.) J'ai volé jusque-là, de nuit, quand je suis sortie de l'enfance. Nous devons tous prendre notre vol et je suis allée là. J'ai cru cent fois mourir. Et là, dans le désert, quand le sable m'emplissait la gorge et fouettait mes ailes, j'ai été forcée de me poser. Je suis restée nue sur le sable brûlant pendant des jours et des jours. Un autre Volant m'a repérée. Il est descendu et, pris de pitié, m'a emportée dans les airs. Mes forces me sont revenues et nous avons volé de concert vers Ogypte. Et il est mort au-dessus de la mer. Il était jeune et fort mais il a péri et il est tombé dans les flots. Je l'ai accompagné dans sa chute. L'eau était chaude, même la nuit. J'ai dérivé. Au lever du jour, j'ai vu les pierres vivantes pousser comme des arbres dans la mer et des poissons de toutes les couleurs. Ils se sont précipités sur lui qui flottait à la surface, ailes déployées, pour le déchiqueter. Alors, je l'ai quitté. Je l'ai enfoncé dans l'eau pour qu'il y repose, j'ai pris mon essor et j'ai rallié l'Ogypte, seule et terrifiée. Et je t'ai rencontré, Guetteur. (Elle me lança un sourire timide.) Montre-nous l'endroit où tu as passé ta jeunesse, Guetteur.

Non sans peine, car j'avais les genoux ankylosés, je contournai le globe en boitillant. Avluela me suivit, Gormon nous emboîta le pas sans empressement comme si cela ne l'intéressait aucunement. Je montrai à la petite Volante les îles éparses formant deux longs chapelets dans l'océan Terre, vestiges des continents perdus, et désignai du doigt mon île natale, à l'ouest.

— C'est ici que j'ai vu le jour.

— Si loin! s'exclama-t-elle.

— Et il y a si longtemps! Quelquefois, j'ai l'impression que cela remonte au milieu du second cycle.

— Non! Ce n'est pas possible!

Mais elle me dévisagea comme s'il était peut-être vrai que j'eusse des milliers d'années. Je souris et caressai sa joue veloutée.

— C'est seulement l'impression que ça me fait.

— Quand es-tu parti de chez toi?

— J'avais alors le double de ton âge. Je suis d'abord allé ici... (Je lui indiquai le groupe des îles orientales.) J'ai passé une douzaine d'années à Palash comme Guetteur. Puis la Volonté m'a ordonné de traverser l'océan Terre pour me rendre en Frique. J'ai obéi. J'ai vécu un certain temps dans les pays chauds, puis j'ai gagné l'Ogypte où j'ai rencontré une petite Volante de ma connaissance.

Je me tus et restai longtemps à regarder les îles qui avaient été ma patrie. Intellectuellement, je n'étais plus la créature efflanquée et usée que j'étais devenu, j'étais à nouveau jeune et vigoureux, j'escaladais les vertes montagnes, je nageais dans la mer froide, je faisais Vigile au bord d'une plage blanche où se fracassaient les brisants.

Tandis que j'étais ainsi plongé dans ces pensées mélancoliques, Avluela se tourna vers Gormon :

— A toi, maintenant. Montre-nous d'où tu viens, Elfon.

Il haussa les épaules.

— Ce n'est pas marqué sur cette mappemonde.

— Mais c'est impossible!

— Crois-tu?

Elle eut beau insister, il éluda ses questions et nous sortîmes par une porte latérale.

La fatigue me gagnait mais l'avidité d'Avluela était telle qu'elle voulait dévorer des yeux la cité tout entière en une seule journée. Aussi nous enfonçâmes-nous dans un dédale de ruelles. Nous traversâmes un quartier de splendides résidences appartenant aux Maîtres et aux Marchands, la zone des tanières puantes des Serviteurs et des Vendeurs qui se prolongeaient en catacombes souterraines et arrivâmes d'abord dans un lieu fréquenté par les Clowns et les Musiciens, puis dans un autre où la confrérie des Somnambules proposait sa douteuse marchandise. Une Somnambule mafflue nous supplia d'entrer pour acheter la vérité qu'engendre la transe. Avluela voulait à toute force nous y entraîner mais Gormon secoua la tête, je souris et nous poursuivîmes notre chemin. Nous parvînmes à un parc proche du cœur de la cité où les citoyens de Roum déambulaient avec une énergie que l'on voit rarement dans la torride Ogypte et nous nous mêlâmes à eux.

— Regardez! s'écria Avluela. C'est superbe!

Elle désignait un vaste arceau miroitant abritant quelque relique du passé. Je mis ma main en visière au-dessus de mes yeux et distinguai à l'intérieur un mur de pierre érodé devant lequel une petite foule se pressait.

— C'est la Bouche de Vérité, dit Gormon.

— Qu'est-ce que c'est? demanda Avluela.

— Venez. Vous allez voir.

Une file de gens avançait en direction de la sphère. Nous

nous plaçâmes à la queue et atteignîmes bientôt l'entrée, scrutant la région d'éternité qui s'étendait au delà du seuil. J'ignorais pour quelle raison la relique avait droit à cette protection particulière refusée à la plupart des vestiges de l'Antiquité et posai la question à Gormon dont le savoir était indéniablement aussi profond que celui d'un Souvenant.

— Parce que c'est le domaine de la certitude, me répondit-il. Tout ce que l'on dit ici est en tout point conforme à la réalité.

— Je ne comprends pas, fit Avluela.

— Il est impossible de mentir en ce lieu. Pouvez-vous imaginer une relique méritant davantage d'être protégée ?

Il pénétra dans le tube d'accès et sa silhouette s'estompa. Je m'empressai de suivre son exemple. Avluela hésita. Elle mit longtemps à se décider. Comme elle était immobile devant le seuil, j'eus l'impression qu'elle était assaillie par le vent qui soufflait le long de la frontière séparant le monde extérieur de cet univers enclavé où nous nous tenions, Gormon et moi.

La Bouche de Vérité était logée dans un alvéole. La file des visiteurs s'étirait jusqu'à cette niche et un Coteur solennel contrôlait le flot qui s'écoulait en direction du tabernacle. Un bon moment passa avant que notre trio fût autorisé à y entrer. Nous nous trouvâmes alors devant la gueule féroce d'un monstre sculpté en haut-relief sur un mur ancien marqué par le temps. Sa bouche béante était un trou sinistre et ténébreux. Gormon l'examina en secouant la tête comme s'il était satisfait de constater qu'il répondait exactement à son attente.

— Que doit-on faire ? s'enquit Avluela.

— Guetteur, mets ta main droite dans la Bouche de Vérité, dit Gormon.

Je m'exécutai en fronçant les sourcils.

— Maintenant, reprit Gormon, l'un d'entre nous va te poser une question. Si ta réponse s'écarte si peu que ce soit de la vérité, la bouche se refermera et te tranchera la main.

— Non ! cria Avluela.

Je regardai avec inquiétude les mâchoires de pierre enserrant mon poignet. Un Guetteur qui n'a pas ses deux mains est un homme qui n'a plus de métier. A l'époque du second cycle, on pouvait se faire poser une prothèse plus agile que la main originelle mais il y avait belle lurette que le second cycle était éteint et, aujourd'hui, de tels raffinements étaient introuvables sur la Terre.

— Comment est-ce possible? fis-je.

— La Volonté possède une rare puissance en ce lieu, m'expliqua Gormon. Elle fait inexorablement la part du vrai et du faux. Derrière ce mur dorment trois Somnambules à travers lesquels elle s'exprime et qui contrôlent la Bouche. Crains-tu la Volonté, Guetteur?

— C'est ma propre langue que je crains.

— Sois courageux. Jamais un mensonge n'a été proféré devant ce mur. Personne n'a jamais perdu sa main.

— Eh bien, allons-y. Qui m'interroge?

— Moi. Penses-tu en toute franchise qu'une vie consacrée à vigiler est une vie sagement conduite?

Je restai longtemps muet à ruminer, les yeux fixés sur les mâchoires. Enfin, je répondis :

— Se vouer à veiller au service de son prochain est peut-être la tâche la plus noble qu'un homme peut s'assigner.

— Attention! s'exclama l'Elfon avec alarme.

— Je n'ai pas fini.

— Continue.

— Mais se vouer à veiller alors que l'ennemi est imaginaire est chose oiseuse et se féliciter d'avoir longtemps et bien monté la garde dans l'attente d'un adversaire qui ne se montre pas est une folie et un péché. J'ai gâché ma vie.

Les mâchoires de la Bouche ne frémirent pas.

Je retirai ma main de cet étau et la contemplai comme si elle venait à l'instant de pousser au bout de mon bras. J'avais subitement l'impression d'avoir vieilli de plusieurs cycles. Avluela, les yeux écarquillés, la main sur ses lèvres, avait l'air bouleversé par ce que je venais de dire. Et il me semblait que mes paroles figées flottaient dans l'air devant l'hideuse idole.

— Tu as parlé avec sincérité mais sans indulgence, dit Gormon. Tu te juges trop sévèrement, Guetteur.

— J'ai parlé ainsi pour sauver ma main. Aurais-tu voulu que je mente ?

Il sourit et se tourna vers Avluela.

— A ton tour, maintenant.

La petite Volante, visiblement effrayée, s'approcha de la Bouche. Sa main mignonne tremblait quand elle la glissa entre les froides surfaces de pierre et il me fallut me raidir pour ne pas me précipiter et l'arracher à ce diabolique mufle grimaçant.

— Qui va l'interroger ?

— Moi, dit Gormon.

Les ailes d'Avluela tressaillaient faiblement sous son vêtement. Elle pâlit, ses narines palpitèrent, sa lèvre supérieure retomba sur sa lèvre inférieure. Défaillante, elle s'appuyait au mur en regardant fixement avec horreur l'extrémité de son bras. A l'extérieur du renfoncement, des visages flous nous observaient, remuant les lèvres pour manifester, sans doute, leur impatience car nous nous attardions trop longuement mais nous n'entendions rien. L'air qui nous environnait était tiède et gluant, imprégné de relents de moisi comme s'il montait d'un puits plongeant à travers le Temps.

— Cette nuit, commença Gormon d'une voix lente, tu as laissé le prince de Roum posséder ton corps. Auparavant, tu t'étais donnée à l'Elfon Gormon bien que les lois et les coutumes interdisent de telles liaisons. Bien avant cela, tu t'étais unie à un Volant, aujourd'hui décédé. Il se peut que tu aies connu d'autres hommes mais je ne sais rien d'eux et cela est sans rapport avec ma question. Dis-moi ceci, Avluela : lequel de ces trois hommes t'a-t-il apporté le plaisir physique le plus intense ? Lequel a éveillé en toi l'émotion la plus profonde ? Lequel des trois prendrais-tu si tu devais choisir un conjoint ?

Je me préparais à protester parce que l'Elfon avait posé trois questions au lieu d'une, s'arrogeant ainsi déloyalement un avantage mais je ne pus rien objecter car Avluela, la main engagée dans la Bouche de Vérité, répondit avec assurance :

— Le prince de Roum m'a fait connaître un plaisir physique que je n'avais encore jamais éprouvé mais il est dur et cruel, et je le méprise. J'ai aimé le Volant mort plus que quinconque, avant ou après, mais il était faible et je n'aurais pas voulu d'un faible pour compagnon. Quant à toi, Gormon, tu es presque un étranger pour moi, même maintenant. Il me semble que je ne connais ni ton corps ni ton âme. Et pourtant, si large soit le fossé qui nous sépare, c'est avec toi que je voudrais finir mes jours.

Elle sortit sa main de la Bouche.

— Bien parlé! lança Gormon, quoique les précisions d'Avluela l'eussent blessé tout autant qu'elles l'avaient satisfait. Tu deviens brusquement éloquente quand les circonstances l'exigent, hein? A présent, à moi de risquer ma main.

Il s'avança vers la Bouche.

— Tu as formulé les deux premières questions, dis-je. Veux-tu aller jusqu'au bout et poser aussi la troisième?

— Sûrement pas. (Il eut un geste négligent de sa main libre.) Éloignez-vous tous les deux et mettez-vous d'accord sur une question commune.

Nous conférâmes, Avluela et moi. Avec un empressement que je ne lui connaissais pas, la Volante suggéra une question et comme c'était précisément celle que j'avais moi-même en tête, j'approuvai et lui dis de la poser.

— Gormon, quand nous étions devant le globe représentant le monde, je t'ai demandé de me montrer l'endroit où tu es né. Tu as répondu qu'il n'était pas porté sur la carte. J'ai trouvé cette réponse très étrange. Alors, voici la question : es-tu vraiment ce que tu prétends être, un Elfon qui parcourt la planète?

— Non, répondit Gormon.

En un sens, ce non correspondait à la question telle qu'Avluela l'avait formulée mais il allait de soi que c'était insuffisant et, la main toujours enfoncée dans la Bouche de Vérité, il poursuivit : « Je ne t'ai pas montré mon lieu de naissance sur le globe parce que je ne suis pas né sur la Terre mais sur une planète appartenant à une étoile dont je ne peux dire le nom. Je ne suis pas un Elfon dans le sens que vous donnez à ce mot bien que j'en sois un dans une certaine mesure puisque je porte un déguisement et que mon aspect physique est différent sur mon monde natal. Il y a dix ans que je suis ici.

— Pour quelle raison es-tu venu sur la Terre? lui demandai-je.

— Je ne suis tenu de répondre qu'à une seule question. Néanmoins, ajouta-t-il avec un sourire, j'accepte de satisfaire ta curiosité. J'ai été envoyé sur la Terre en qualité d'observateur militaire afin de préparer l'invasion que tu guettes depuis si longtemps et à laquelle tu as cessé de croire. A présent, quelques heures seulement vous séparent de l'assaut.

— Tu mens! m'écriai-je. Tu mens!

Il éclata de rire. Et retira sa main intacte de la Bouche de Vérité.

6

L'esprit en déroute, je m'enfuis de la sphère miroitante avec ma carriole et mes instruments. Il faisait froid et sombre dans la rue. La nuit était tombée d'un seul coup comme c'est le cas en hiver. La neuvième heure approchait. Ce serait très bientôt le moment de la Vigile.

Les paroles railleuses de Gormon roulaient avec un bruit de tonnerre dans ma tête. Il avait tout machiné. Il nous avait manœuvrés pour nous conduire à la Bouche de Vérité, il m'avait arraché l'aveu que j'avais perdu la foi en ma mission et avait extorqué une autre confession à Avluela. Il nous avait impitoyablement et délibérément donné des renseignements qu'il n'avait pas besoin de révéler en employant des mots calculés pour m'atteindre droit au cœur.

La Bouche de Vérité était-elle une imposture? Avait-il pu mentir et s'en sortir indemne?

Jamais depuis que j'avais commencé ma tâche je n'avais vigilé avant l'heure fixée. Mais les réalités étaient en train de s'écrouler et je ne pouvais attendre que sonne la neuvième heure. Ployant le dos dans le vent, j'ouvris la carriole, ajustai mes instruments et m'immergeai dans la vigilance comme un plongeur.

Ma conscience amplifiée se rua vers les étoiles.

Tel un dieu, je parcourais l'infini. Je ressentais l'impact du vent solaire mais, n'étant pas un Volant, je n'avais pas à craindre que cette pression me détruise et je dépassai à une vitesse foudroyante les particules de lumière en courroux pour m'enfoncer dans les ténèbres au delà de l'empire du soleil. Au-dessous de moi pulsait une pression différente.

Des astronefs approchaient.

Ce n'étaient pas des vaisseaux de ligne chargés de touristes avides de contempler notre monde déchu. Ce n'étaient pas des navires marchands dûment immatriculés, ni des unités laboratoires qui prélèvent la poussière interstellaire, ni des plates-formes de plaisance en orbite hyperbolique.

C'étaient des nefs militaires — noires, étrangères, menaçantes. Impossible de dire combien il y en avait. Je savais seulement qu'elles fonçaient vers la Terre à une vitesse égale à plusieurs années-lumière, repoussant devant elles un cône de déviation énergétique et c'était ce cône que j'avais senti, c'était lui que j'avais également senti durant ma dernière veille grondant dans mon esprit par le truchement de mes appareils, m'engloutissant comme un cristal dont les lignes de contrainte brasillent et chatoient.

C'était ce que j'avais guetté tout au long de mon existence.

J'avais été formé pour déceler ce phénomène. J'avais prié pour qu'il me soit donné de ne jamais le détecter. Puis, dans ma désespérance, j'avais prié pour qu'il me soit, au contraire, donné de le détecter. Puis j'avais cessé d'y croire. Et finalement, par la grâce de l'Elfon Gormon, je le percevais alors que je veillais avant l'heure, accroupi dans une froide rue de Roum devant l'enceinte de la Bouche de Vérité.

On donne pour consigne à l'apprenti Guetteur de sortir de sa Vigile dès qu'une vérification attentive a confirmé ses observations pour pouvoir donner l'alarme. Avec discipline, j'effectuai ces vérifications en passant d'un canal à l'autre et en triangulant. J'enregistrais toujours cette inquiétante sensation, la présence d'une force titanesque se ruant sur la Terre à une vitesse inimaginable.

Ou je m'abusais ou c'était l'invasion. Mais j'étais incapable de sortir de mon état de transe pour lancer l'alerte.

Langoureusement, amoureusement, je m'attardai à absorber ces signaux sensoriels pendant des heures, me sembla-t-il. Je caressais mes instruments, y trouvant la totale affirmation de la foi que m'apportaient mes cadrans. Je me morigénais obscurément, me disais que je perdais un temps précieux, que mon devoir m'ordonnait d'interrompre cet ignoble abandon au destin pour prévenir les Défenseurs.

Enfin, je m'arrachai à la Vigilance et retrouvai le monde que j'avais vocation de protéger.

Avluela était près de moi, hébétée, terrifiée, hagarde, se mordant les poings.

— Guetteur ! Guetteur, m'entends-tu ? Qu'est-il arrivé ? Que va-t-il se passer ?

— L'invasion. Combien de temps suis-je resté inconscient ?

— Environ une demi-minute... je ne sais pas. Tu avais les yeux fermés. J'ai cru que tu étais mort.

— Gormon a dit la vérité ! L'invasion est à nos portes. Où est-il ? Où est-il allé ?

— Il a disparu quand nous sortions de l'endroit où il y a la Bouche, répondit-elle dans un souffle. Guetteur, j'ai peur. Il me semble que tout s'effondre. Il faut que je prenne mon vol. Je ne peux plus rester au sol !

— Attends ! (Je voulus l'agripper par le bras mais elle m'échappa.) Ne pars pas encore. Je dois d'abord donner l'alarme. Après...

Mais elle était déjà en train de se dévêtir. Son corps pâle dénudé jusqu'à la taille luisait dans la pénombre. Les gens, autour de nous, se hâtaient dans tous les sens, ignorant ce qui se préparait. Je désirais qu'Avluela demeure auprès de moi mais je ne pouvais tarder davantage à donner l'alarme. Aussi, lui tournant le dos, je revins à ma carriole.

Comme prisonnier d'un rêve né d'une trop longue patience, je tendis la main vers le node dont je ne m'étais encore jamais servi, celui qui alerterait tous les Défenseurs d'un bout à l'autre de la planète.

L'alarme avait-elle déjà été lancée ? Un autre Guetteur avait-il éprouvé ce que j'avais éprouvé et, moins paralysé que moi par la stupéfaction et le doute, avait-il accompli l'acte ultime des Guetteurs ?

Non. Dans ce cas, j'entendrais hurler les sirènes dont les haut-parleurs en orbite au-dessus de la cité répercuteraient les ululements.

J'effleurai le node. Du coin de l'œil je vis Avluela dépouillée des vêtements qui la gênaient s'agenouiller pour réciter ses formules, gorger de force ses ailes frêles. Dans un instant, elle prendrait son essor, elle serait hors de mon atteinte.

D'un seul geste vif, j'actionnai le dispositif d'alerte.

Au même instant, je remarquai un robuste gaillard qui s'approchait à grands pas. Pensant que c'était Gormon, je me levai dans l'intention de me jeter sur lui. Mais ce n'était pas l'Elfon : c'était quelque Serviteur zélé au teint terreux. Il s'adressa à Avluela :

— Tout doux, Volante ! Baisse tes ailes. Le prince de Roum m'a chargé de te conduire auprès de lui.

Il la saisit à bras-le-corps. Les petits seins d'Avluela se soulevaient, palpitants, et la colère flamboyait dans ses prunelles.

— Lâche-moi ! Je vais m'envoler.

— Le prince de Roum te réclame, riposta le Serviteur en la serrant entre ses bras musclés.

— Le prince de Roum aura d'autres distractions cette nuit, lui dis-je. Il n'aura pas besoin d'elle.

Comme je disais ces mots, les sirènes commencèrent à chanter du haut des cieux.

Le Serviteur lâcha prise. Pendant un instant, ses lèvres remuèrent sans qu'un son s'échappât de sa bouche. Il fit l'un des signes qu'il convient de faire pour se placer sous la protection de la Volonté, regarda le ciel et balbutia :

— L'alarme ! Qui l'a lancée ? C'est toi, vieux Guetteur ?

Les gens couraient comme des fous dans la rue.

Avluela passa à toute vitesse devant moi — ses ailes n'étaient qu'à demi déployées — et le torrent de la foule l'engloutit. Sur le terrifiant fond sonore des sirènes se détachèrent les voix assourdissantes du circuit audio qui donnaient à la population des consignes en vue d'assurer la défense et la sécurité publique. Un individu maigre dont la joue portait l'emblème de la confrérie des Défenseurs passa en trombe en hurlant des mots trop incohérents pour être intelligibles. On eût dit que le monde était pris de démence.

J'étais le seul à garder mon calme. Je scrutai le firmament, m'attendant presque à voir déjà les sombres vaisseaux des envahisseurs tourner au-dessus des tours de Roum. Mais il n'y avait rien d'autre que les luminaires aériens et les objets qu'il était normal de voir dans le ciel.

J'appelai :

— Gormon ? Avluela ?

Plus personne !

J'éprouvai une étrange sensation de vide. J'avais donné l'alerte. Les envahisseurs arrivaient. J'avais perdu mon métier. Désormais, il n'était plus besoin de Guetteurs. Je passai presque amoureusement la main sur le flanc de la vieille carriole qui avait été si longtemps ma compagne, caressai les instruments tachés et piqués. Puis, lui tournant le dos, je l'abandonnai et m'enfonçai dans les rues obscures sans charrette et sans fardeau, homme dont la vie avait trouvé et perdu son sens dans le même instant. Autour de moi, le chaos faisait rage.

7

Il était entendu qu'au moment de la bataille décisive, toutes les confréries seraient mobilisées à l'exception des seuls Guetteurs. Nous qui avions eu si longtemps la charge exclusive du périmètre de défense n'avions aucun rôle à jouer dans la stratégie du combat. Avoir donné l'alerte — la vraie — valait exemption. C'était maintenant à la confrérie des Défenseurs de montrer ses capacités. Depuis un demi-siècle, ils s'organisaient pour le jour où la guerre éclaterait. Quels plans allaient-ils mettre en œuvre, à présent ? Quelles opérations déclencheraient-ils ?

Je n'avais qu'une idée : retourner à l'hôtellerie royale pour y attendre le dénouement. Il ne fallait même pas songer à retrouver Avluela et je me serais donné des coups de pied pour l'avoir laissé s'enfuir, nue et sans personne pour la protéger, dans la confusion du moment. Où était-elle allée ? Qui la défendrait ?

Un frère Guetteur tirant sa carriole comme un forcené faillit me télescoper.

— C'est vrai ? me demanda-t-il. C'est l'alerte ?

— Tu n'entends pas ?

— Mais est-elle réelle ?

Je tendis le doigt vers son véhicule.

— Tu connais la marche à suivre pour en avoir le cœur net.

— On dit que celui qui a lancé l'alarme était ivre, que c'était un vieux fou qu'on avait chassé de l'hôtellerie, hier.

— C'est possible.

— Mais si cette alerte est vraie...

— Si elle est vraie, nous allons tous pouvoir nous reposer, l'interrompis-je en souriant. Bonne journée, Guetteur.

— Ta carriole ! Où est ta carriole ? me cria-t-il.

Mais je l'avais déjà quitté et avançai vers une puissante colonne gravée, vestige de la Roum impériale.

D'anciennes images décoraient le pilier : des combats et des victoires, des monarques étrangers enchaînés défilant ignominieusement dans les rues de Roum, des aigles triomphantes glorifiant la grandeur impériale. Pénétré de cette singulière sérénité qui m'avait envahi, je restai un certain temps à admirer les élégantes sculptures de la colonne.

Soudain, un personnage se rua frénétiquement sur moi. Je le reconnus : c'était Basil le Souvenant.

— Tu arrives au bon moment, lui dis-je en le saluant. Veux-tu avoir l'obligeance de m'expliquer ces figures, Souvenant ? Elles me fascinent et piquent ma curiosité.

— Es-tu fou ? N'entends-tu pas l'alerte ?

— C'est moi qui l'ai donnée.

— Eh bien, fuis! Les envahisseurs approchent! Nous allons devoir combattre.

— Pas moi, Basil. Mon rôle est terminé. Parle-moi de ces scènes, de ces rois vaincus, de ces empereurs déchus. Un homme de ton âge n'est certainement pas tenu de se battre.

— Nous sommes tous mobilisés.

— Mais pas les Guetteurs. Rien ne te presse. En moi est née la soif du passé. Gormon a disparu. Sois mon guide pour explorer les cycles perdus.

Le Souvenant secoua furieusement la tête, me contourna et fit mine de s'éloigner. Je me jetai sur lui dans l'espoir de le saisir par son bras maigre pour le retenir mais je manquai mon coup et empoignai seulement sa noire écharpe qui se défit et me resta dans la main. Ses jambes étiques jouant comme des pistons en folie, il s'élança dans la rue et disparut à mes yeux. Je haussai les épaules et examinai l'écharpe tombée de façon aussi inattendue en ma possession. Elle était passementée de scintillants fils de métal formant des motifs compliqués et énigmatiques. J'avais l'impression que chacun de ces fils s'escamotait dans la trame pour réapparaître à un endroit improbable, à l'instar de ces descendants d'anciennes dynasties qui refont surface dans de lointaines cités. C'était un travail merveilleux. Je passai distraitement l'écharpe sur mes épaules et repris ma marche.

Mes jambes, qui, un peu plus tôt, avaient été sur le point de ployer sous moi, avaient recouvré leur élasticité. Revigoré, je me frayai un chemin à travers la cité en proie au chaos. Je n'eus pas de peine à trouver ma route : je descendis vers le fleuve que je traversai et, une fois sur l'autre rive, je cherchai le palais du prince.

La nuit était plus obscure car, en application des ordres de mobilisation, la plupart des lumières étaient éteintes. De temps en temps, un choc sourd annonçait qu'une bombe camouflante éclatait dans les airs, libérant des nuages fuligineux qui neutralisaient presque tous les moyens d'observation à longue distance. Il y avait moins de monde dans les rues. Les sirènes continuaient toujours de s'égosiller. En haut des édifices, les installations de défense commençaient à se mettre en action. On entendait le grésillement des expulsateurs qui chauffaient et l'on pouvait voir les longs bras filiformes des antennes d'amplification se balancer d'une tour à l'autre tandis qu'on les raccordait afin de disposer d'un débit maximal. Il n'était plus possible de nourrir le moindre doute quant à la réalité de l'invasion. Dans l'état de trouble où je me trouvais, mes instruments auraient peut-être pu me tromper mais on n'aurait pas été si loin dans les préparatifs de mobilisation si les observations recueillies par des centaines d'autres membres de ma confrérie n'avaient confirmé le rapport initial.

Aux abords du palais, deux Souvenants hors d'haleine se ruèrent sur moi, leur écharpe flottant derrière eux. Ils me dirent quelque chose que je ne saisis pas. Me rappelant que je portais l'écharpe de Basil, je compris qu'ils m'interpellaient dans le langage secret de leur confrérie. Je ne pouvais leur répondre. Toujours bafouillant, ils arrivèrent à ma hauteur et me demandèrent en employant, cette fois, la langue vulgaire :

— Qu'est-ce qui te prend? Rejoins ton poste! Nous devons enregistrer, commenter, observer!

— Vous faites erreur, rétorquai-je avec affabilité. Cette écharpe est celle de votre frère Basil qui me l'a seulement laissée en dépôt. Je n'ai désormais plus de poste de guet à tenir.

— Un Guetteur! s'exclamèrent-ils en chœur — et, m'abreuvant d'injures, mais séparément, cette fois, ils prirent leurs jambes à leur cou.

J'éclatai de rire et entrai dans le palais.

Les portes en étaient béantes. Les neutres de faction à l'enceinte étaient invisibles de même que les deux Coteurs de garde à l'intérieur. Les gueux qui envahissaient la vaste esplanade étaient venus chercher refuge dans le bâtiment, provoquant la fureur des mendiants licenciés à titre héréditaire qui y tenaient leurs assises ordinaires et qui s'étaient jetés sur les intrus avec une rage et une force inattendues. Je vis des estropiés manier leurs béquilles comme des massues, des aveugles frapper leurs adversaires avec une précision qui faisait rêver, d'humbles et doux pénitents bardés d'armes les plus diverses allant du poignard au pistolet sonique. Me détournant de cet affligeant spectacle, je me glissai à l'intérieur du palais, jetant au passage des coups d'œil dans les chapelles où des Pèlerins imploraient la bénédiction de la Volonté, où des Communicants, anxieux de connaître l'issue de l'affrontement imminent, cherchaient désespérément des conseils spirituels. Soudain des appels de trompettes éclatèrent tandis que retentissaient les cris de : « Place! Place! »

Une colonne de Servitcurs musclés surgit, se dirigeant vers les appartements royaux de l'abside. Plusieurs d'entre eux maintenaient une créature aux ailes à demi ouvertes qui se débattait farouchement et lançait des ruades. Avluela! Je l'appelai mais ma voix se perdit dans le vacarme et je ne pus l'approcher. Les Serviteurs me repoussèrent et le cortège s'engouffra dans les appartements du prince. J'entrevis une dernière fois la petite Volante, pâle et frêle entre les mains de ses ravisseurs, avant de la perdre définitivement de vue.

J'arrêtai un neutre tout gonflé de son importance qui suivait la procession d'un pas incertain.

— Pourquoi cette Volante est-elle ici?

— Euh... il... Ils...

— Parle!

— Le prince... sa femme... son char... il... il... ils... les envahisseurs...

Je repoussai ce mollasson et m'élançai vers l'abside pour me retrouver devant un mur d'airain qui faisait dix fois ma taille. Je le martelai de mes poings en hurlant d'une voix rauque : « Avluela! *Av...lu...ela!* »

On ne me chassa pas plus qu'on ne me laissa entrer. On m'ignora. Le charivari, jusque-là localisé à l'entrée ouest du palais, s'était maintenant étendu à la nef et aux bas-côtés. Voyant les mendiants haillonneux déferler dans ma direction, je fis prestement volte-face et franchis une porte latérale débouchant dans la cour de l'hôtellerie royale.

Je m'immobilisai. D'étranges craquements électriques crépitaient dans l'air. Je supposai que c'était une émanation de quelque installation de défense, une sorte de faisceau destiné à protéger la cité d'une attaque, mais il me suffit de quelques instants pour réaliser mon erreur : ces grésillements n'étaient que le signe avant-coureur de l'envahisseur.

Des astronefs surgirent dans le ciel.

Quand je les avais perçus dans ma Vigile, ils m'étaient apparus en noir sur le fond des ténèbres infinies mais, maintenant, ils flamboyaient comme autant de soleils. Le firmament était paré d'un collier de globes lumineux et durs comme des pierreries. Flanc contre flanc, les vaisseaux s'étiraient d'est en ouest sans solution de continuité, occupant toute l'arche céleste et lorsqu'ils apparurent simultanément, je crus entendre le fracas et la pulsation d'une invisible symphonie annonçant l'arrivée des conquérants de la Terre.

Je ne sais à quelle altitude se trouvaient les astronefs, ni combien ils étaient, ni quelle était leur technologie. Tout ce que je sais, c'est qu'en l'espace d'un instant ils se matérialisèrent dans toute leur écrasante majesté et que, si j'avais été un Défenseur, mon âme se serait instantanément desséchée à ce spectacle.

Des éclairs multicolores sillonnèrent le ciel. La bataille était engagée. Les opérations des nôtres m'échappaient et j'étais tout aussi dépassé par les manœuvres de ceux qui venaient prendre possession de notre planète enracinée dans l'histoire mais que le temps avait conduite à son déclin. Je me sentais avec honte non seulement en dehors mais au-dessus de la mêlée comme si le conflit ne me concernait pas. J'aurais voulu qu'Avluela fût à mes côtés et elle était quelque part dans les entrailles du palais du prince de Roum. Même la présence de Gormon, Gormon l'Elfon, Gormon l'espion, Gormon qui avait indignement trahi notre monde, m'aurait été d'un certain réconfort.

Des voix fantastiquement amplifiées tonnèrent :

— Place au prince de Roum! Le prince de Roum prend le commandement des Défenseurs dans la bataille pour la patrie!

Un étincelant véhicule en forme de larme sortit du palais. Une plaque transparente avait été sertie au métal éclatant de son toit afin que la population tout entière pût apercevoir son chef et prendre courage à sa vue. Le prince de Roum était aux commandes, le torse fièrement bombé, une expression de farouche détermination peinte sur son jeune et cruel visage. Auprès de lui, je distinguai la frêle silhouette d'Avluela la Volante parée comme une impératrice. Elle avait l'air halluciné.

Le char royal prit son essor et se perdit dans la nuit.

J'eus l'impression qu'un second engin surgissait dans son sillage, que le prince revenait et que les deux appareils décrivaient des cercles serrés comme s'ils s'affrontaient au corps à corps. Des essaims d'étincelles bleues les masquèrent soudain, puis ils prirent de la hauteur, s'éloignèrent et disparurent derrière l'une des collines de Roum.

La bataille faisait-elle rage d'un bout à l'autre de la planète? Perris était-il menacé et la sainte Jorslem, voire aussi les îles assoupies des Continents perdus? Les astronefs étaient-ils partout dans le ciel?

Je l'ignorais. Je ne connaissais que les événements dont le ciel de Roum était le théâtre et ce qui se passait dans cet infime secteur, même, était vague, incertain et fragmentaire. A la lueur fugitive des éclairs, je distinguais des bataillons de Volants qui filaient à travers les airs, puis l'obscurité revenait comme un linceul de velours retombant sur la cité. En haut des tours, les grandes machines défensives faisaient feu par saccades mais les nefs continuaient de sillonner le ciel, intactes, comme si de rien n'était. La cour où je me trouvais était déserte mais j'entendais des voix lointaines où vibraient la peur et l'effroi pousser des clameurs ténues qu'on aurait pu prendre pour des pépiements d'oiseaux. De temps à autre, une déflagration ébranlait la ville. A un moment donné, un peloton de Somnambules qu'on entraînait passa devant moi. J'observai sur l'esplanade du palais une troupe de Clowns (c'est le sentiment que j'eus) déployer une espèce de filet brillant d'aspect militaire. Un éclair me permit de distinguer trois Souvenants décollant sur une plate-forme antigravité. Ils notaient avec diligence tout ce qui se passait. Il me sembla — mais je n'en étais pas sûr — voir revenir le véhicule du prince de Roum talonné par son adversaire. « Avluela », murmurai-je tandis que les deux grains de lumière se perdaient au loin. Les astronefs débarquaient-ils des troupes? De colossaux pylônes d'énergie vomis par les éclatants bâtiments en orbite se posaient-ils sur la surface de la Terre ? Pourquoi le prince avait-il enlevé Avluela ? Où était Gormon ? Que faisaient nos Défenseurs ? Pourquoi aucun vaisseau ennemi ne se désintégrait-il dans le ciel ?

Tout au long de cette interminable nuit, j'observai, planté sur les antiques pavés de la cour, le déroulement de ce combat cosmique sans rien y comprendre.

Et le jour se leva. De pâles filets de lumière bondirent de tour en tour. Je me frottai les yeux, réalisant que j'avais dû dormir debout et je me dis ironiquement qu'il faudrait que je sollicite mon inscription à la confrérie des Somnambules. Quand je touchai l'écharpe du Souvenant, je me demandai ce que c'était là. Et la mémoire me revint.

Je levai la tête.

Les astronefs étrangers n'étaient plus là. Je ne voyais qu'un ciel banal de petit matin, gris pommelé de rose. Machinalement, je cherchai ma carriole des yeux. Et me rappelai que je n'avais plus besoin de guetter. Je me sentis alors plus abattu qu'on ne l'est ordinairement à cette heure.

La bataille était-elle terminée ?

L'ennemi était-il vaincu ?

Les vaisseaux de l'envahisseur, chassés du ciel, gisaient-ils, épaves carbonisées, autour de Roum ?

Tout n'était que silence. Je n'entendais plus les symphonies célestes. Soudain, un son nouveau rompit ce silence surnaturel, un brouhaha semblable à celui qu'auraient pu faire des véhicules à roues traversant la cité. Puis les invisibles Musiciens frappèrent un dernier accord, une note grave et sonore qui mourut en se fracassant comme si toutes les cordes s'étaient brisées en même temps.

Des haut-parleurs destinés aux communications publiques s'éleva une voix calme :

— Roum est tombée. Roum est tombée.

8

L'hôtellerie royale était vide. Les neutres et les membres de la confrérie des Serviteurs avaient tous fui. Défenseurs, Maîtres et Dominateurs devaient avoir honorablement péri au cours des combats. Aucun signe du Souvenant Basil, aucun signe, non plus, de ses frères.

Je regagnai ma chambre, fis toilette, me restaurai, puis rassemblai mes maigres possessions et dis adieu à ce luxe que j'avais connu pour si peu de temps. Je regrettais que ma visite à Roum fût ainsi écourtée. Néanmoins, Gormon avait été un excellent guide et j'avais vu beaucoup de choses.

A présent, j'avais l'intention de reprendre la route. Il ne me paraissait guère prudent de demeurer dans une ville conquise. Mon bonnet à pensées restait sourd à mes questions, j'ignorais l'ampleur de la défaite, ici et ailleurs, mais il était évident que Roum, au moins, n'était plus sous l'autorité humaine et je désirais partir rapidement. Je songeai à me rendre à Jorslem comme le grand Pèlerin me l'avait suggéré à mon arrivée mais, réflexion faite, je préférai prendre la direction de l'ouest et aller à Perris, non seulement parce que c'était plus près mais aussi parce que c'était là que se trouvait le siège de la confrérie des Souvenants. Le seul métier que je connaissais n'existait plus mais en ce premier jour de la conquête de la Terre, j'éprouvais l'irrésistible et singulier désir de me mettre humblement à la disposition des Souvenants pour chercher avec eux à connaître le passé glorieux de la planète.

A midi, je quittai l'hôtellerie et me rendis d'abord au palais dont l'entrée était toujours ouverte. Partout gisaient des mendiants, quelques-uns sous l'empire de la drogue, d'autres endormis, la plupart morts. A en juger par la brutalité qui avait présidé au carnage, ils s'étaient probablement entre-tués sous l'effet de la panique et de l'affolement. Un Coteur à l'air abattu était accroupi à côté du pilastre aux crânes de l'interrogation, dans la chapelle.

— Ce n'est pas la peine, dit-il en me voyant approcher. Les cerveaux ne répondent pas.

— Qu'est devenu le prince de Roum ?

— Il est mort. Les envahisseurs l'ont descendu en plein ciel.

— Une jeune Volante l'accompagnait. Que sais-tu d'elle ?

— Rien. Je suppose qu'elle est morte aussi.

— Et la cité ?

— Tombée. Les envahisseurs sont partout.

— Se livrent-ils à des massacres ?

— Ils ne pillent même pas. Ils sont très gentils. Ils ont pris possession de nous.

— Est-ce que Roum seule est tombée entre leurs mains ?

Il haussa les épaules et se mit à se balancer rythmiquement d'avant en arrière. L'abandonnant, je m'enfonçai à l'intérieur du palais.

Je constatai avec surprise que les appartements impériaux n'étaient pas fermés et j'y entrai. La somptuosité des tentures, des draperies, des luminaires, de l'ameublement me laissa pantois. Je passai de pièce en pièce et finis par découvrir le lit royal. Le manteau d'un colossal bivalve provenant d'une planète appartenant à un autre soleil servait de literie. Le coquillage s'entrebâilla pour me faire place et je touchai la substance infiniment douce sur laquelle avait dormi le prince. Je me rappelai qu'Avluela avait aussi dormi là. Si j'avais été plus jeune, j'aurais pleuré.

Je sortis du palais et traversai la place à pas lents pour commencer mon voyage vers Perris.

Ce fut alors que je vis nos vainqueurs pour la première fois. Un véhicule d'aspect non terrestre s'immobilisa à la périphérie de l'esplanade et une dizaine de créatures en descendit. Nos conquérants auraient presque pu passer pour des humains. Ils étaient grands, larges d'épaules, avec une poitrine puissante comme Gormon et seule l'extrême longueur de leurs bras trahissait instantanément leur origine étrangère. Leur épiderme avait une texture bizarre et si j'avais été plus près, j'aurais probablement découvert que leurs yeux, leurs lèvres et leurs narines étaient d'un dessin non humain. Sans me prêter attention, ils franchirent l'esplanade d'une démarche bondissante, curieusement désarticulée, qui me rappela irrésistiblement l'allure de Gormon, et entrèrent dans le palais. Ils n'avaient l'air ni bravaches ni belliqueux.

Des curieux! Roum la majestueuse exerçait une fois encore son magnétisme sur les étrangers.

Laissant nos nouveaux maîtres à leurs distractions, je m'éloignais en direction de l'enceinte de la cité. La tristesse d'un hiver éternel glaçait mon âme. Était-ce sur la chute de Roum que je m'affligeais ? Sur Avluela que j'avais perdue ? Ou était-ce seulement que j'avais sauté trois Vigiles consécutives et que je souffrais du manque comme un intoxiqué privé de sa drogue ? Il y avait un peu de tout cela mais c'était principalement ce dernier point qui m'angoissait.

Il n'y avait personne dans les rues. Sans doute les habitants se terraient-ils, redoutant les étrangers. De temps en temps, je croisais un de leurs véhicules qui passait en bourdonnant mais je ne fus pas autrement inquiété. J'atteignis la porte ouest de la cité en fin d'après-midi. Elle était ouverte et je pus apercevoir une colline en pente douce couronnée d'arbres à la cime vert foncé. Je sortis de la ville et vis alors à peu de distance un Pèlerin qui s'éloignait d'un pas traînant.

Je le rejoignis sans peine. Son allure chancelante et hésitante était bizarre car son épaisse robe brune ne parvenait pas à cacher la vigueur et la jeunesse de son corps. Il se tenait très droit, les épaules carrées, bombant le torse et pourtant il avançait d'un pas de vieillard, incertain et tremblant. Quand je parvins à sa hauteur et que je jetai un coup d'œil sous son capuchon, je compris : au masque de bronze qu'il portait comme le faisaient tous les Pèlerins était fixé un de ces réverbérateurs qui avertissent les aveugles des obstacles et des dangers. Devinant ma présence, il dit :

— Je suis un Pèlerin aveugle. Je te prie de ne pas me maltraiter.

Cette voix bien timbrée, brusque et impérieuse n'était pas celle d'un Pèlerin.

— Je ne fais de mal à personne, lui répondis-je. Je suis un Guetteur qui, depuis cette nuit, a perdu sa situation.

— Beaucoup ont perdu leur situation cette nuit, Guetteur.

— Ce ne saurait être le cas d'un Pèlerin.

— En effet.

— Où vas-tu ?

— Je quitte Roum.

— Tu n'as pas de destination particulière ?

— Non. Je marcherai à l'aventure.

— Pourquoi ne ferions-nous pas route ensemble ? lui proposai-je car voyager avec un Pèlerin porte bonheur, à ce qu'on dit, et privé de ma Volante et de mon Elfon, j'aurais dû voyager seul. Je vais à Perris. Veux-tu m'accompagner jusque-là ?

— Là ou ailleurs ! soupira-t-il avec amertume. Soit, allons à Perris ensemble. Mais qu'est-ce qu'un Guetteur a à faire à Perris ?

— Un Guetteur n'a plus rien à faire nulle part. Je vais à Perris pour offrir mes services aux Souvenants.

— Oh ! J'appartenais aussi à cette confrérie mais seulement à titre honoraire.

— Maintenant que la Terre est vaincue, je voudrais mieux connaître son fier passé.

— C'est donc la Terre tout entière et pas simplement Roum qui est tombée ?

— Je le crains.

— Ah ! fit-il. Ah !

Il se tut et nous nous ébranlâmes. Je lui offris mon bras et, cessant de traîner la jambe, il se mit à avancer à grandes enjambées comme un jeune homme. Par moments, il poussait ce qui pouvait être un soupir ou un sanglot étouffé. Quand je l'interrogeais sur son pèlerinage, il esquivait la question ou ne répondait pas. Au bout d'une heure, alors que nous étions déjà en plein bois, il dit soudain :

— Ce masque me fait mal. Veux-tu m'aider à l'ajuster ?

Et, à ma grande surprise, il se mit en devoir de l'enlever. J'en fus sidéré car il est interdit aux Pèlerins de montrer leur visage. Avait-il oublié que, moi, je n'étais pas aveugle?

— Ce que tu vas voir n'est pas très beau, fit-il en détachant le masque.

L'opercule grillagé de celui-ci remonta sur son front et je vis tout d'abord ses yeux. Ils avaient été récemment crevés. Ce n'étaient que deux trous béants qu'avaient fouillés non point le scalpel d'un chirurgien mais plutôt des doigts. Puis je reconnus le nez droit et aristocratique et, enfin, la bouche mince et sinueuse du prince de Roum.

— Votre Majesté! m'écriai-je.

Des traînées de sang séché lui barbouillaient les joues et des traces de pommade bordaient ses orbites sanguinolentes. Sans doute souffrait-il peu car ce baume verdâtre calmait la douleur mais celle que j'éprouvais était réelle et intense.

— Il n'y a plus de majesté, rétorqua-t-il. Aide-moi à arranger ce masque. (Il me le tendit d'une main qui tremblait.) Il faut élargir le bourrelet qui me blesse atrocement. Ici... et là.

Je me dépêchai d'effectuer l'ajustement pour ne plus voir cette figure mutilée et il remit son masque en place.

— Maintenant, je suis un Pèlerin, reprit-il d'une voix tranquille. Roum est veuve de son prince. Trahis-moi si tu veux, Guetteur. Sinon, conduis-moi à Perris et si jamais je retrouve un jour ma puissance, tu seras récompensé comme il convient.

— Je ne suis pas un traître.

Nous repartîmes en silence. Il m'était impossible de bavarder de futilités avec cet homme-là. Cela s'annonçait comme un triste voyage mais je m'étais engagé à lui servir de guide. Je songeai à Gormon et à la façon dont il tenait sa parole. Je songeais aussi à Avluela et cent fois je faillis demander au prince déchu ce qu'il était advenu de sa maîtresse, la Volante, au cours de cette nuit qui avait vu la défaite mais je me retins de poser la question qui me brûlait la langue.

Le crépuscule arriva mais l'or rouge du soleil flamboyait encore à l'ouest. Soudain, je fis halte en poussant une exclamation de surprise quand une ombre passa au-dessus de nous.

Avluela fendait les airs, très haut dans le ciel. Les feux du couchant embrasaient son corps et ses ailes amplement déployées luisaient de toutes les couleurs de l'arc-en-ciel. Elle était déjà à une altitude égale à cent hauteurs d'homme et elle montait toujours. A ses yeux, je ne devais être qu'un point perdu au milieu des arbres.

— Qu'y a-t-il ? s'enquit le prince. Qu'as-tu vu ?

— Rien.

— Dis-moi ce que tu as vu !

Je ne pouvais lui mentir.

— Une Volante, Votre Majesté. Très haut dans les airs.

— C'est donc que la nuit est tombée.

— Non. Le soleil est encore au-dessus de l'horizon.

— Comment est-ce possible ? Elle n'a que des ailes de nuit. Le soleil la ferait s'écraser au sol.

J'hésitai. Je ne pouvais me décider à lui expliquer pourquoi Avluela volait dans la lumière alors qu'elle n'avait que des ailes nocturnes. Je ne pouvais dire au prince de Roum que l'envahisseur Gormon l'accompagnait bien qu'il ne fût pas ailé, qu'il se mouvait sans effort à travers les airs, entourant de son bras les épaules graciles de la petite Volante, la soutenant, la maintenant, l'aidant à résister à la pression du vent solaire. Je ne pouvais lui dire que son vindicatif bourreau était en train de voler au-dessus de sa tête en compagnie de sa dernière maîtresse.

— Eh bien, Guetteur ? Comment se fait-il qu'elle vole en plein jour ?

— Je ne sais pas. C'est pour moi un mystère. Il y a bien des choses, à présent, que je ne comprends plus.

Il parut se satisfaire de cette réponse.

— Oui, Guetteur. Il y a bien des choses qu'aucun de nous ne peut comprendre.

Il retomba dans son mutisme. Je brûlai d'envie d'appeler Avluela mais je savais qu'elle ne pourrait ni ne voudrait m'entendre. Aussi continuai-je de marcher vers le soleil, vers Perris en guidant le prince aveugle. Au-dessus de nous, Avluela et Gormon filaient de plus en plus vite, nimbés des dernières lueurs du jour, toujours plus haut jusqu'au moment où je les perdis de vue.

DEUXIÈME PARTIE

CHEZ LES SOUVENANTS

1

Voyager en compagnie d'un prince déchu n'est pas chose aisée. Il avait perdu la vue mais pas son orgueil et sa cécité ne lui avait pas enseigné l'humilité. Il portait la robe et le masque des Pèlerins mais nulle compassion — et bien peu d'aménité — n'habitait son âme. Derrière ce masque, il était encore le prince de Roum.

J'étais désormais toute sa cour à moi seul alors que, en ce début de printemps, nous montions sur Perris. Je lui indiquais le bon chemin, je le distrayais quand il m'ordonnait de le distraire, en lui relatant mes pérégrinations, je le consolais dans les moments de découragement et d'amertume. Je recevais bien peu en retour hormis la certitude de pouvoir manger régulièrement. Personne ne refuse l'aumône d'un repas à un Pèlerin. Dans tous les villages où nous faisions halte, nous nous rendions à l'auberge où on le nourrissait et l'on nourrissait de surcroît son compagnon de voyage. Un jour, dans les premiers temps de nos déambulations, il commit la faute d'ordonner avec morgue à un aubergiste : « Donnez aussi de quoi manger à mon domestique! » Faute d'yeux, il ne vit pas l'expression scandalisée et abasourdie du tavernier — qu'est-ce qu'un Pèlerin pouvait faire d'un domestique, en effet? — mais je décochai à notre hôte un sourire accompagné d'un clin d'œil et me tapotai le front. L'homme comprit et nous servit tous les deux sans discussion. Plus tard, j'expliquai son erreur au prince qui, dès lors, me présenta comme son compagnon. Mais je savais que, pour lui, je n'étais rien d'autre qu'un valet.

Le temps était clément. C'était l'époque de l'année où la chaleur gagnait Eyrop. Au bord des routes, les saules et les peupliers aux troncs élancés se couvraient de verdure encore que l'on voyait beaucoup d'étoiliers luxuriants importés d'outre-espace aux temps fastueux du second cycle et dont les feuilles bleues, en fer de lance, résistaient à nos bénins hivers eyropéens. Les oiseaux migrateurs, eux aussi, remontaient de Frique. Chatoyants, ils voletaient au-dessus de nous, chantant et discutant entre eux des nouveaux maîtres du monde. « Ils se moquent de moi, me dit le prince un matin. Ils gazouillent pour me mettre au défi de voir l'éclat de leur plumage ! »

Oui, il était amer et ce n'était certes pas sans raison. Quand on a eu tant de choses et qu'on a tout perdu, il y a de quoi se lamenter. Pour moi, la défaite de la Terre signifiait seulement la fin de mes habitudes. A part cela, rien n'était modifié. Je n'avais plus à vigiler mais je continuais d'errer de par le monde, seul, même si, comme c'était le cas, j'avais un compagnon de route.

Je me demandais si le prince savait pourquoi il avait eu les yeux crevés. Si Gormon triomphant lui avait annoncé que c'était ni plus ni moins à la jalousie d'un rival qu'il devait ce sort. « Tu as pris Avluela, lui avait-il peut-être dit. Tu as remarqué une petite Volante et tu as voulu t'en amuser. Tu lui as ordonné de partager ton lit. Sans penser à elle en tant que personne. Sans penser qu'elle pouvait en préférer un autre. En pensant seulement comme pense un prince de Roum — tyranniquement ! »

... et le geste fulgurant de deux longs doigts écartés...

Mais je n'osais pas l'interroger : le monarque déchu m'inspirait encore une crainte respectueuse. M'immiscer dans sa vie privée, engager la conversation sur ses malheurs comme s'il n'était qu'un simple compagnon de route... non, je ne le pouvais pas. Je lui répondais lorsqu'il m'adressait la parole, je parlais lorsqu'il me l'ordonnait. Autrement, je gardais le silence ainsi qu'il sied à un plébéien en présence d'un personnage de sang royal.

Mais chaque jour qui passait confirmait que le prince de Roum n'était plus une altesse. Les envahisseurs sillonnaient les airs tantôt à bord de flotteurs ou autres engins volants, tantôt à l'aide de propulseurs individuels. La circulation était intense. Ils faisaient l'inventaire de leur monde. Quand leurs ombres, infimes éclipses, passaient sur nous, je levais la tête pour regarder nos nouveaux maîtres. Bizarrement, je n'éprouvais nulle haine à leur égard, seulement du soulagement à l'idée que la longue veille de la Terre avait pris fin. Il en allait différemment pour le prince. Chaque fois qu'un envahisseur nous survolait, il le sentait. Alors, il serrait les poings et crachait de noires malédictions. Ses nerfs optiques enregistraient-ils encore d'une manière ou d'une autre le passage des ombres ? Ou ses autres sens étaient-ils à ce point aiguisés par la perte de la vue qu'il était capable de déceler l'imperceptible bourdonnement d'un flotteur, de flairer l'odeur de la peau des envahisseurs dans le ciel ? Je ne le lui demandai pas. Je lui demandais infiniment peu de chose.

Parfois, la nuit, quand il me croyait endormi, il pleurait. J'étais alors ému de pitié. Avoir, si jeune, perdu tout ce qu'il possédait ! J'appris ainsi dans ces sombres moments que même les larmes d'un prince ne sont pas les larmes des simples hommes. Ses sanglots étaient chargés de défi, belliqueux, courroucés. Néanmoins, il pleurait.

Mais la plupart du temps il paraissait stoïque et comme résigné à son infortune. Il marchait gaillardement à mon côté et chacun de ses pas l'éloignait de Roum, sa grande cité, et le rapprochait de Perris. A d'autres moments, cependant, j'avais presque l'impression de voir frémir son âme en tumulte derrière la grille du masque. La fureur intérieure qu'il réprimait s'extériorisait en piques mesquines. Il raillait mon âge, la modestie de ma condition, la vanité d'une existence qui avait perdu son sens maintenant que la conquête était un fait acquis. Il me narguait :

— Dis-moi ton nom, Guetteur.

— C'est interdit, Majesté.

— Les anciennes lois n'ont plus cours, désormais. Allons !

Nous avons de longs mois à arpenter les routes ensemble. Je ne peux pas continuer à t'appeler éternellement « Guetteur ».

— C'est la coutume de ma confrérie.

— La coutume de la mienne est de donner des ordres auxquels on obéit. Ton nom!

— Même les Dominateurs ne peuvent exiger de connaître le nom d'un Guetteur sans un motif valable et un mandement du maître de confrérie.

Il cracha par terre.

— Me braver ainsi alors que je suis réduit à cet état! Quelle vilenie! Si nous étions au palais, tu ne t'y risquerais pas.

— Si nous étions au palais, Majesté, vous n'auriez pas formulé cette requête abusive au su et au vu de votre cour. Les Dominateurs sont eux aussi astreints à certaines obligations. Ils ont, en particulier, le devoir de respecter les autres confréries.

— Mais c'est qu'il me fait la leçon!

Rageusement, il s'élança vers le bas-côté de la route, s'adossa au talus, se pencha en arrière, effleura le tronc d'un étoilier, arracha une poignée de feuilles et les pétrit si fort qu'elles durent lui piquer douloureusement la paume. Un lourd véhicule terrestre — le premier que je voyais depuis le matin sur cette route déserte — passa bruyamment devant nous. Il était chargé d'envahisseurs. Quelques-uns nous saluèrent en agitant le bras.

Au bout d'un long moment, le prince laissa tomber sur un ton plus détendu, presque badin :

— Mon nom est Enric. Dis-moi le tien.

— Je vous supplie de ne pas insister, Majesté.

— Mais tu connais maintenant mon nom. Il m'est tout aussi interdit qu'à toi de le révéler!

— Je ne vous ai pas demandé de me le dire, ripostai-je avec fermeté.

Et je ne lui donnai pas mon nom. Refuser de communiquer ce renseignement à un prince dépouillé de sa puissance était une bien piètre victoire mais il me la fit payer de mille façons sordides. Il me houspillait, me provoquait, m'injuriait, me rabaissait. Il parlait avec mépris de ma confrérie. Il me traitait en laquais. Je devais lui graisser son masque, appliquer des onguents sur ses yeux crevés et lui rendre d'autres services trop humiliants pour être cités. Ainsi clopinions-nous sur la route de Perris, un vieil homme et un jeune, tout aussi démunis, remplis de hargne l'un envers l'autre, mais que réunissaient les besoins et les devoirs qui sont le lot des voyageurs.

Ce fut une période pénible. Il me fallait me plier à ses sautes d'humeur : tantôt, il s'exaltait, en proie à un enthousiasme cosmique à faire des projets en vue de venger la Terre conquise; tantôt il retombait dans le plus profond désespoir en réalisant que la conquête était définitive. Il me fallait le défendre contre sa propre imprudence lorsqu'il se conduisait comme s'il était toujours le prince de Roum, donnant des ordres aux villageois, les frappant même à l'occasion d'une manière qui ne convenait guère à un saint homme. Pire encore, il me fallait servir sa concupiscence et acheter des femmes qui venaient le rejoindre nuitamment, ignorant qu'elles avaient affaire à un personnage se présentant comme un Pèlerin. Un Pèlerin imposteur car il ne portait pas la pierre d'étoile grâce à laquelle les vrais Pèlerins entrent en communion avec la Volonté.

Je réussis malgré tout à faire en sorte qu'il se tirât indemne de toutes ces péripéties critiques, même le jour où nous rencontrâmes un autre Pèlerin, authentique celui-là. C'était un vieillard redoutablement ergoteur, à l'esprit fertile en arguties théologiques. « Parlons de l'immanence de la Volonté », proposa-t-il au prince qui, manquant de patience cet après-midi-là, lui répondit par un mot ordurier. A la dérobée, je lui lançai un coup de pied dans le mollet et dis au Pèlerin scandalisé :

— Notre ami est indisposé, aujourd'hui. Il est entré en communion cette nuit avec la Volonté et a eu une révélation qui lui a troublé les sens. Laisse-nous poursuivre notre chemin, je te prie, et ne lui parle pas de choses saintes tant qu'il n'aura pas recouvré son état normal.

Je réussis, à l'aide d'improvisations de ce genre, à ce que le voyage se poursuive sans incidents.

A mesure que la température se réchauffait, l'attitude du prince s'adoucissait. Peut-être finissait-il par se résigner à son triste sort ; peut-être, dans la prison de sa nuit intérieure, élaborait-il une nouvelle tactique pour affronter cette transformation de son existence. C'était presque avec désinvolture qu'il parlait à présent de lui-même, de sa chute, de son humiliation. Il évoquait son ancienne puissance en des termes qui laissaient penser, sans doute possible, qu'il ne se faisait pas d'illusion sur ses chances de la retrouver un jour. Il s'étendait sur ses richesses, ses femmes, ses joyaux, ses Elfons, ses Musiciens et ses Serviteurs, sur les Maîtres et même sur les Dominateurs, ses pairs, qui ployaient jadis le genou devant lui. Je ne prétendrai pas que j'éprouvais la moindre sympathie à son égard mais, dans ces moments-là, je discernais derrière son masque inexpressif un être humain qui souffrait.

Il voyait même en moi un autre être humain. Je sais que cela lui coûtait énormément.

Il me dit un jour :

— L'ennui avec le pouvoir, Guetteur, c'est qu'il vous coupe des gens, vois-tu ? Ils deviennent des objets. Toi, par exemple... tu n'étais pour moi qu'une machine qui allait et venait en guettant les envahisseurs, rien de plus. Je suppose que tu avais des rêves, des ambitions, des colères, mais tu étais pour moi un vieillard racorni, sans existence indépendante en dehors de ta fonction de Guetteur. Je vois mieux les choses maintenant que je ne vois plus.

— Que voyez-vous ?

— Tu as été jeune autrefois. Tu avais une ville que tu aimais. Une famille. Une femme, même. Tu as choisi une confrérie — à moins qu'on ne l'ait choisie à ta place —, tu es entré en apprentissage, tu as dû lutter, ta tête te faisait mal, tes tripes se nouaient, tu as connu bien des heures sombres où tu te demandais ce que tout cela signifiait, à quoi cela servait. Tu voyais passer les Maîtres et les Dominateurs comme des comètes. Et nous voici à présent tous les deux, épaves rejetées par les vagues, sur la route de Perris. Qui, de toi ou de moi, est le plus heureux, désormais ?

— Je suis au delà de la joie et de la tristesse, lui répondis-je.

— Est-ce la vérité ? Ou seulement un rempart derrière lequel tu t'abrites ? Dis-moi une chose, Guetteur : je sais que la règle de ta confrérie t'interdit de te marier, mais t'est-il arrivé d'aimer ?

— Quelquefois.

— Es-tu maintenant au delà de l'amour ?

J'éludai la question :

— Je suis vieux.

— Mais tu pourrais aimer. Tu le pourrais ! Tu es dorénavant affranchi de tes vœux de confrérie, n'est-ce pas ? Tu pourrais prendre femme.

Je m'esclaffai :

— Quelle femme voudrait de moi ?

— Ne parle pas ainsi. Tu n'es pas si vieux que cela. Tu possèdes des atouts. Tu as vu le monde, tu le comprends. Tu pourrais sûrement trouver à Perris une brave fille qui... (Il n'acheva pas.) N'as-tu jamais connu la tentation quand tu étais encore lié par tes vœux ?

Au même moment, une Volante nous survola. C'était une femme mûre qui avait quelque difficulté à tenir son cap car la lumière déclinante alourdissait ses ailes. J'eus un coup au cœur et l'envie me prit de répondre : « Oui, j'ai connu la tentation. Il y avait récemment une petite Volante, une enfant, Avluela, et je l'aimais à ma façon bien que je ne l'aie jamais touchée. Et je l'aime toujours. »

Mais je gardai le silence. Pourtant, je contemplai la Volante qui était plus libre que moi puisqu'elle avait des ailes et malgré la douceur printanière, la chape glacée de la désolation s'abattit sur moi.

— Perris est-il encore loin ? demanda le prince.

— Marchons et nous finirons par y arriver.

— Et que feras-tu ?

— Mon apprentissage dans la confrérie des Souvenants. Je commencerai une vie nouvelle. Et vous ?

— J'espère y trouver des amis.

Nous marchions de longues heures chaque jour. Des voyageurs nous proposaient parfois de nous prendre à bord de leur véhicule mais nous déclinions l'offre car, aux points de contrôle, les envahisseurs étaient sûrement à l'affût des nobles errants comme le prince. Nous franchîmes un tunnel long de plusieurs kilomètres s'enfonçant sous des montagnes recouvertes de glace qui montaient à l'assaut du ciel, nous traversâmes une plaine où travaillaient des paysans, nous reposant au bord des eaux vives pour y rafraîchir nos pieds. L'or de l'été pleuvait sur nous. Nous parcourions le monde mais sans le voir. Nous n'entendions aucune nouvelle de la conquête bien qu'il fût manifeste que les envahisseurs avaient pris intégralement possession de la planète : on les voyait partout contempler du haut de petits appareils volants notre monde qui était devenu le leur.

J'obéissais à tous les ordres du prince, même à ceux qui m'étaient pénibles, et m'efforçais de lui rendre l'existence moins triste. J'essayais de lui donner le sentiment qu'il était toujours un souverain — un souverain, il est vrai, dont l'empire ne s'exerçait que sur un vieux Guetteur inutile. Je lui appris aussi à ressembler davantage à un Pèlerin en lui enseignant le peu que je savais des attitudes, des formules, des prières de cette confrérie. Il n'avait visiblement guère consacré de temps à entrer en contact avec la Volonté à l'époque où il régnait. Maintenant, il faisait profession de foi mais c'était un faux-semblant, ce n'était qu'un accessoire de son déguisement.

Aux abords d'une ville appelée Dijon, il me dit :

— Je vais acheter des yeux ici.

Pas de vrais yeux. Le secret de fabrication de tels organes de rechange a disparu au second cycle. Sur des mondes plus fortunés que le nôtre, tous les miracles sont à portée de la main moyennant finances, mais la Terre est un monde délaissé, un bras mort et stagnant de l'univers. Avant la conquête, le prince aurait pu partir au loin acheter une nouvelle vue mais tout ce qu'il pouvait désormais espérer trouver était quelque chose qui lui permettrait au mieux de distinguer la lumière de l'obscurité. Ce serait néanmoins un rudiment de vision. Pour l'heure, il ne disposait pour le guider que du réverbérateur qui lui indiquait les obstacles se dressant sur son chemin. Mais comment savait-il qu'il y avait à Dijon un artisan possédant la compétence nécessaire ? Et comment le paierait-il ?

— Cet homme, me dit-il, est le frère d'un de mes Scribes. Il appartient à la confrérie des Artisans et j'ai souvent acheté de ses œuvres, à Roum. Il me procurera des yeux.

— Mais à quel prix !

— Je ne suis pas entièrement démuni de ressources.

Nous nous arrêtâmes dans un bois de chênes-lièges aux troncs noueux et le prince ouvrit sa robe.

— J'ai un viatique en cas d'urgence, fit-il en posant un doigt sur le gras de sa cuisse. Donne-moi ton couteau.

Je le lui tendis. Il appuya sur le bouton et le mince et froid pinceau de lumière jaillit du manche. Il palpa sa cuisse de la main gauche pour chercher l'endroit exact puis, pinçant la chair entre deux doigts, effectua une entaille de cinq centimètres avec une précision toute chirurgicale. Pas une goutte de sang ne coula et il sembla ne rien sentir. Je le vis avec ahurissement enfoncer deux doigts dans la cavité, en écarter les bords et y fouiller comme dans un sac. Il me lança mon couteau.

De sa cuisse ruisselèrent des trésors.

— Veille à ce que rien ne se perde, m'ordonna-t-il.

Sur l'herbe tombèrent sept scintillantes gemmes d'origine extra-terrestre, un ravissant petit globe céleste, cinq monnaies d'or de la Roum impériale venues du fond des cycles, un anneau émaillé de quasi-vie miroitante, un flacon rempli d'un parfum inconnu, un ensemble d'instruments musicaux miniature taillés dans des bois et des métaux précieux, huit statuettes figurant des personnages de royale prestance et bien d'autres objets encore. Je rassemblai ces merveilles en un tas étincelant.

— C'est une ultrapoche qu'un habile Chirurgien m'a implantée, m'expliqua le prince d'une voix calme. J'avais prévu qu'il me faudrait peut-être un jour critique quitter précipitamment le palais et j'y ai fourré tout ce que j'ai pu. Il y a infiniment plus de choses encore là où je me suis servi. Dis-moi ce que j'ai pris.

Je lui fis un inventaire exhaustif de ces trésors. Il m'écouta jusqu'au bout avec une attention crispée et je compris qu'il connaissait le compte exact et qu'il testait mon honnêteté. Quand j'eus terminé, il opina, satisfait.

— Prends le globe, l'anneau et les deux plus belles pierres. Cache-les dans ta besace et remets le reste en place.

Il écarta à nouveau les lèvres de l'incision et j'y laissai choir ces merveilles qui rejoignirent on ne sait quelles autres splendeurs entassées dans une autre dimension dont l'issue était encastrée dans la chair du prince. Il aurait fort bien pu receler la moitié de ce que contenait le palais dans sa cuisse. Enfin, il rapprocha les deux lèvres de la coupure qui se soudèrent sans que je pusse déceler la trace de cicatrice et il renoua sa robe.

A Dijon, nous trouvâmes sans peine l'échoppe de Bordo l'Artisan, un bonhomme trapu à la figure grêlée et à la barbe hirsute. Il avait un tic qui lui tirait la paupière, un nez informe et aplati mais des doigts aussi délicats que ceux d'une femme. Sa boutique était sombre, garnie de rayonnages poussiéreux et percée de petites fenêtres. Une bâtisse qui aurait pu être vieille de dix mille ans. Quelques objets gracieux étaient exposés mais la plupart n'étaient pas en montre. Il nous considéra d'un air méfiant, visiblement tout ébaubi d'avoir la visite d'un Guetteur et d'un Pèlerin.

— Mon ami a besoin d'yeux, lui dis-je à l'instigation du prince.

— Ce sont en effet des choses que je fabrique. Mais cela est onéreux et il faut de longs mois pour confectionner cet article. Un Pèlerin n'a pas les moyens de s'offrir ça.

Je posai une gemme sur le comptoir usé.

— Nous avons les moyens.

Stupéfait, Bordo saisit la pierre, la tourna et la retourna. Il vit luire au cœur du joyau un feu inconnu de la Terre.

— Si vous revenez à la chute des feuilles...

— Vous n'avez pas d'yeux en stock ?

Il sourit.

— Il y a peu de demande. Nous avons des réserves réduites.

Je sortis le globe céleste de ma besace. Devant ce chef-d'œuvre, il ouvrit la bouche toute grande et le soupesa en se tiraillant la barbe. Je le lui laissai en main assez longtemps pour qu'il en tombe amoureux, puis le lui repris.

— L'automne est un délai trop long. Nous nous adresserons ailleurs. Peut-être à Perris.

Je saisis le prince par le coude et nous nous dirigeâmes vers la porte.

— Arrêtez! s'écria Bordo. Laissez-moi au moins vérifier. Il n'est pas impossible que j'en aie une paire quelque part...

Et il se mit à farfouiller fébrilement dans les ultrapoches installées dans le mur du fond.

Il en avait en stock, bien sûr. Je discutai un peu sur le prix et nous convînmes que cela nous coûterait le globe, l'anneau et une pierre. Pendant toute la durée de ce marchandage, le prince demeura muet. J'exigeai que Bordo pose les yeux immédiatement. Il acquiesça avec véhémence, boucla sa boutique, coiffa un bonnet à pensées et convoqua un Chirurgien au teint brouillé.

Les préparatifs de l'opération commencèrent sans tarder. Le prince s'allongea sur une paillasse dans une pièce stérile et étanche. Il enleva son réverbérateur et son masque. A la vue de ses traits acérés, Bordo, qui avait été à la cour de Roum, poussa une exclamation de surprise et ouvrit la bouche pour dire quelque chose. Je lui écrasai brutalement le pied et il ravala son discours tandis que le Chirurgien qui ne s'était rendu compte de rien se mettait tranquillement en devoir de nettoyer les orbites vides de son patient.

Les yeux de Bordo étaient des sphères gris perle plus petites que des yeux véritables et striées de fentes transversales. Je ne sais quel mécanisme elles recelaient mais leur face arrière se hérissait de minuscules plots d'or destinés à être reliés aux nerfs. Le prince fut endormi pendant la première partie de l'intervention. Je montais la garde et Bordo assistait le Chirurgien. Ensuite, il fallut réveiller le patient. Son visage se convulsa sous l'effet de la douleur mais il se domina si vite que l'Artisan murmura une prière devant une telle détermination.

— Éclaire-moi, ordonna le Chirurgien.

Bordo, d'un coup de coude, approcha un globe lumineux qui flottait.

— Oui... oui, dit le prince. Je perçois une différence.

— Il faut faire des tests et des ajustements.

Bordo sortit et je le suivis. Il tremblait et était vert de peur.

— Allez-vous nous tuer, maintenant ? me demanda-t-il.

— Bien sûr que non.

— J'ai reconnu...

— Tu as reconnu un pauvre Pèlerin qui a subi un terrible malheur au cours de ses voyages, c'est tout.

Je passai quelque temps à examiner ses réserves. Enfin, le Chirurgien et le prince apparurent. Ce dernier portait les sphères laiteuses qu'un ménisque de chair synthétique maintenait étroitement dans ses orbites. Il avait plus l'air d'une machine que d'un homme avec ces choses inertes sous les sourcils. Quand il bougeait la tête, les fentes s'élargissaient et se rétrécissaient tour à tour, silencieusement et furtivement.

— Regardez ! fit-il.

Et il fit le tour de la pièce en désignant les objets et en les nommant. Je savais qu'il les discernait comme à travers un voile épais mais, au moins, il voyait d'une certaine façon. Il remit son masque et, à la tombée de la nuit, nous quittâmes Dijon.

Il semblait presque déborder d'entrain mais ce qui était serti dans son crâne n'était qu'un piètre substitut de ce que Gormon lui avait arraché et il ne tarda pas à en prendre conscience. Cette nuit-là, que nous passâmes sur des grabats nauséabonds dans une hôtellerie de Pèlerins, il exhala d'inintelligibles imprécations de rage. A la lueur mobile des trois lunes — la vraie et les deux fausses —, je le voyais lancer les bras en avant, les doigts écartés, les ongles pointés et frapper, frapper, frapper sans trêve un ennemi imaginaire.

2

L'été touchait à son terme quand, enfin, nous atteignîmes Perris. La large route menant à la porte du sud était élastique sous le pied et de vieux arbres la bordaient. Il tombait une pluie fine et les rafales de vent faisaient tourbillonner les feuilles sèches autour de nous. L'horrible nuit qui nous avait vus nous enfuir de Roum conquise semblait presque un rêve, à présent. Tout un printemps et un été de marche nous avaient endurcis et les tours grises de Perris étaient comme une promesse de renouveau. Mais je me disais que nous nous leurrions sans doute : qu'est-ce qu'un prince détrôné qui ne voyait que des ombres et un Guetteur d'âge canonique pouvaient espérer de l'avenir ?

Perris était une cité plus sombre que Roum. Même à la fin de l'hiver, le ciel de Roum était clair et le soleil brillant. Perris, en revanche, semblait être perpétuellement encapuchonné de nuages. Les bâtiments et les paysages étaient fuligineux. Les murailles de la ville elles-mêmes étaient couleur de cendre et sans éclat. La porte était béante. Un petit homme morose portant le costume des Sentinelles était affalé près d'elle. Il ne fit pas un geste pour nous empêcher d'entrer. Devant mon regard intrigué, il secoua la tête :

— Entre, Guetteur.

— Sans subir de contrôle ?

— Tu n'es pas au courant ? Toutes les cités ont été déclarées franches il y a six jours, par ordre de l'envahisseur. Maintenant, les portes ne sont plus jamais closes. La moitié des Sentinelles est sans travail.

— Je croyais que les envahisseurs recherchaient leurs ennemis, les ci-devant nobles.

— Ils ont des postes de contrôle ailleurs et on ne fait pas appel aux services des Sentinelles. La cité est libre. Entrez.

Nous avançâmes donc. Je demandai à l'ex-gardien pourquoi, dans ce cas, il était là.

— Cela fait quarante ans que je monte la garde ici, me répondit-il. Où pourrais-je aller?

Je fis un signe indiquant que je prenais part à son chagrin et nous entrâmes dans Perris, le prince et moi.

— Je suis entré cinq fois dans Perris par la porte du sud, fit mon compagnon. Toujours en carrosse et précédé par mes Elfons faisant de la musique avec leur gorge. Nous longions les édifices et les monuments antiques jusqu'au fleuve pour rejoindre le palais du comte de Perris. La nuit, on dansait au-dessus de la cité sur des plates-formes antigravité, il y avait des ballets de Volants et une aurore jaillissait en notre honneur de la tour de Perris. Et le vin! Le vin rouge de Perris, les femmes aux robes impudiques, leurs seins fardés de carmin, leurs cuisses douces! Nous nous baignions dans le vin, Guetteur. (Il tendit le doigt dans une direction incertaine :) Est-ce là la tour de Perris?

— Je pense que ce sont les ruines de la machine météorologique.

— Une machine météo serait une colonne verticale. Ce que je distingue a une base large et une forme effilée comme la tour de Perris.

— Je vois un pilier vertical d'au moins trente hauteurs d'homme déchiqueté au sommet. La tour ne serait pas si près de la porte du sud, n'est-ce pas?

— En effet. (Le prince marmonna un juron.) C'est donc bien la machine météo. Les yeux de Bordo ne me font pas voir très clair, n'est-il pas vrai? Je me leurre, Guetteur, je me leurre. Cherche un bonnet à pensées et demande si le comte s'est enfui.

Je restai quelques instants encore à contempler le pilastre décapité de la machine météo, ce prodigieux instrument qui avait apporté tant de calamités au monde au cours du second cycle, m'efforçant de percer du regard ses parois de marbre lisse, presque onctueuses, eût-on dit, pour voir les replis de ses viscères, les mystérieux engins capables de submerger des continents entiers qui, en ces temps lointains, avaient transformé les montagnes occidentales, ma patrie, en un archipel. Enfin, je m'arrachai à ce spectacle, enfilai un bonnet à pensées public, m'informai du sort du comte, obtins la réponse que je prévoyais et demandai où nous pourrions trouver à nous loger.

— Alors? s'enquit le prince.

— Le comte de Perris a été massacré avec tous ses fils lors de la conquête. Sa dynastie est éteinte, son titre aboli et les envahisseurs ont transformé son palais en musée. Toute l'aristocratie perrisienne a péri ou pris la fuite. Je vous aurai une place à la loge des Pèlerins.

— Non. Emmène-moi avec toi chez les Souvenants.

— C'est cette confrérie que vous cherchez à joindre, maintenant?

Il fit un geste impatient.

— Non, imbécile! Mais que veux-tu que je fasse seul et sans amis dans une cité étrangère? Que raconterais-je aux vrais Pèlerins dans leur hôtellerie? Je reste avec toi. Les Souvenants ne chasseront sûrement pas un Pèlerin aveugle.

Il ne me laissait pas le choix. Et ce fut ainsi qu'il m'accompagna à la maison des Souvenants.

Il nous fallut traverser la moitié de la ville et cela nous prit presque toute la journée. Le désordre régnait dans Perris. L'arrivée des envahisseurs avait bouleversé les structures de la société, libérant de leurs tâches de vastes secteurs de la population quand ce n'étaient pas des confréries entières. Nous croisâmes des dizaines d'autres Guetteurs dans les rues, les uns traînant encore leur coffre à instruments, les autres ayant abandonné comme moi leur lourd équipement et ne sachant que faire de leurs mains. Mes frères avaient l'air sombre et déprimé. Toute discipline était désormais oubliée et beaucoup avaient l'œil hagard d'avoir trop fait bombance. Il y avait aussi des Sentinelles désœuvrées et mélancoliques qui n'avaient plus de garde à monter, des Défenseurs à la mine de chien battu, que le fait qu'il n'y eût plus rien à défendre plongeait dans le désarroi. Je ne vis pas de Maîtres ni, bien entendu, de Dominateurs, mais nombre de Clowns, de Musiciens, de Scribes et autres fonctionnaires palatins sans emploi déambulaient à l'aventure, sans compter des hordes de neutres abrutis et avachis qui n'avaient pas l'habitude que chôme leur corps presque totalement démuni d'intelligence. Seuls les Vendeurs et les Somnambules semblaient vaquer à leurs affaires comme de coutume.

Les envahisseurs étaient partout. On les voyait se promener dans toutes les rues par groupes de deux ou trois, créatures aux membres démesurés dont les mains se balançaient à la hauteur des genoux ou presque, la paupière lourde, les narines enfouies dans des ballons-filtres, les lèvres épaisses que l'on aurait cru soudées lorsqu'ils n'ouvraient pas la bouche. Ils portaient quasiment tous la même robe au chaud coloris vert foncé qui était peut-être l'uniforme des forces d'occupation. Quelques-uns avaient des armes d'aspect curieusement primitif, de grands et lourds instruments accrochés en bandoulière qui étaient peut-être plus destinés à la parade qu'à la défense. Ils allaient et venaient au milieu de nous avec insouciance en conquérants bienveillants, sûrs d'eux et fiers, qui ne craignent pas d'être molestés par les vaincus. Toutefois, ils ne circulaient jamais seuls ce qui révélait une méfiance secrète. Ni leur présence ni même l'arrogance implicite que dénotait la façon possessive avec laquelle ils regardaient les antiques monuments perrisiens ne parvenaient à m'irriter mais le prince de Roum, pour qui toutes les silhouettes se réduisaient à des barres verticales gris sombre sur fond gris clair, les devinaient instinctivement quand ils approchaient de lui et la colère hachait aussitôt sa respiration.

En outre, les visiteurs d'outre-ciel étaient beaucoup plus nombreux que d'habitude. Des multitudes de races se mêlaient. Certains de ces extra-terrestres pouvaient respirer notre atmosphère, d'autres étaient à l'abri à l'intérieur de globes hermétiques, munis de boîtes respiratoires pyramidales ou revêtus de combinaisons étanches. Certes, rencontrer des étrangers n'était pas une nouveauté sur Terre mais un tel afflux était étonnant. On marchait presque dessus; ils rôdaient dans les anciens lieux de culte, achetaient des modèles réduits de la tour de Perris aux Vendeurs installés aux coins des rues, se hissaient en état d'équilibre précaire jusqu'au niveau supérieur des contre-rues, épiaient ce qui se passait dans les logements occupés, enregistraient des images, changeaient de l'argent auprès de trafiquants à l'allure furtive, papillonnaient autour des Volants et des Somnambules, mangeaient dans nos restaurants au péril de leur vie. A perte de vue, ce n'étaient que groupes accompagnés qu'on pilotait. A croire que nos vainqueurs avaient lancé le mot d'ordre d'un bout à l'autre de la galaxie : VENEZ VISITER LA TERRE. CHANGEMENT DE PROPRIÉTAIRE.

Nos mendiants, au moins, étaient florissants. Les affaires n'étaient pas fameuses pour les mendiants non terrestres mais les autochtones s'en tiraient tout à leur avantage sauf les Elfons en qui les étrangers se refusaient à voir des gens du cru. Je vis à plusieurs reprises quelques-uns de ces mutants, mécontents qu'on leur refusât l'aumône, se retourner contre leurs confrères et les rosser tandis que les touristes enregistraient la scène pour le plus grand délice des casaniers de la galaxie.

Nous finîmes par arriver à la maison des Souvenants, un édifice impressionnant par sa taille, ce qui était bien naturel puisqu'il recelait tout le passé de la planète. Il se dressait à une hauteur prodigieuse sur la rive sud de la Senn, juste en face du non moins imposant palais des comtes de Perris. Mais la demeure du comte déposé était une très ancienne construction du premier cycle, une longue bâtisse de pierres grises à l'architecture compliquée, coiffée du traditionnel toit de métal vert propre au style perrisien, alors que la maison des Souvenants était une blanche flèche polie. Derrière sa surface dont nulle fenêtre ne rompait l'uniformité, se lovait, de la base au sommet de ce pylône, une spirale de métal satiné portant inscrite l'histoire de l'humanité. Ses dernières volutes étaient vierges. De loin, je ne parvenais pas à lire quoi que ce soit et je me demandai si les Souvenants avaient pris la peine de consigner l'ultime défaite de la Terre. J'appris par la suite que non, que cette chronique s'achevait, en fait, à la fin du second cycle. Ce qui était advenu après était trop mélancolique pour être relaté.

La nuit tombait. Et Perris, qui m'avait paru si lugubre sous ses nuages et sa bruine, devenait d'une merveilleuse beauté à l'instar d'une douairière qui revient de Jorslem ayant retrouvé sa jeunesse et ses charmes. Les lumières douces mais rayonnantes de la cité illuminaient d'un éclat magique les vieilles bâtisses grises, en estompaient les arêtes vives, effaçaient la crasse du temps, métamorphosaient la laideur en poème. La lourde masse vautrée du palais du comte était à présent une aérienne fantasmagorie. La tour de Perris sous le feu des projecteurs qui la plaquait contre le ciel crépusculaire se dressait à l'est comme une gigantesque araignée filiforme — mais une araignée resplendissante de grâce. La lactescence de la maison des Souvenants était d'une beauté presque insoutenable et sa spirale historique paraissait non point s'enrouler jusqu'à son faîte mais plonger dans son cœur. C'était l'heure des Volants. Ils folâtraient dans les airs, traçant de gracieux ballets, leurs ailes arachnéennes déployées pour absorber la lumière venant d'en bas et leurs corps sveltes se tendaient obliquement par rapport à l'horizon. Quelle élégance dans l'envol de ces enfants transformés de la Terre, ces privilégiés dont la confrérie n'avait qu'une seule exigence : que ses membres soient heureux de vivre! Ils dispensaient la beauté comme autant de petites lunes. Les envahisseurs qui volaient grâce à une technique que j'ignorais, leurs membres démesurés collés contre leurs flancs, partageaient leurs ébats aériens. Je remarquai que les Volants ne le prenaient pas de haut avec eux mais que, au contraire, ils paraissaient les accueillir de bon cœur et les laissaient participer à leur chorégraphie.

Et plus haut, sur l'échine même du firmament, voguaient d'ouest en est les deux lunes artificielles à l'éclat laiteux. Des globules de lumière disciplinée — sans doute s'agissait-il là d'un divertissement typiquement perrisien — tournoyaient dans l'atmosphère. Des haut-parleurs flottant au-dessous des nuages nous inondaient de flots de musique. Quelque part fusèrent des rires féminins. Je respirais un effervescent arôme de vin. Si c'était là le Perris conquis, qu'avait bien pu être le Perris libre?

— Sommes-nous à la maison des Souvenants? me demanda aigrement le prince.

— Oui. C'est une tour toute blanche.

— Je le sais, espèce d'abruti ! Mais, maintenant, je vois moins bien à la nuit tombée. C'est ce bâtiment ?

— Vous désignez le palais des comtes, Majesté.

— Alors, c'est celui-ci ?

— Oui.

— Pourquoi n'y entrons-nous pas ?

— Je contemple Perris. Je n'ai jamais rien vu d'aussi admirable. Roum a aussi son charme mais ce n'est pas pareil. Roum est une impératrice. Perris est une courtisane.

— Trêve de poésie, vieillard racorni !

— Je ne sens plus le poids de l'âge. Je pourrais gambader dans les rues. J'entends la cité me chanter sa chanson.

— Hâtons-nous ! Nous sommes ici pour voir les Souvenants. Tu écouteras la cité chanter plus tard.

Je poussai un soupir et le guidai vers la porte. Nous longeâmes une plate-forme surélevée tandis que des pinceaux de lumière nous balayaient, nous scrutant et enregistrant nos mouvements. La colossale porte d'ébène — cinq épaulées d'homme en largeur, dix hauteurs d'homme de haut — se révéla n'être qu'une projection car, en approchant, j'en sentis la profondeur, je vis la voûte intérieure et compris que c'était une illusion. Une éclatante et blanche luminosité irradiait des pierres. J'éprouvai un vague sentiment de chaleur et humai un étrange parfum au passage.

Le monstrueux vestibule où nous nous trouvions était presque aussi cyclopéen que la nef du palais du prince de Roum. A droite et à gauche, des portes massives distribuaient les ailes attenantes. Bien qu'il fît nuit, de nombreuses personnes étaient massées autour des terminaux alignés le long du mur du fond où écrans et bonnets à pensées permettaient d'entrer en contact avec les inépuisables archives de la confrérie souvenante. Je notai avec intérêt qu'une bonne partie des questionneurs curieux du passé de l'humanité étaient des envahisseurs.

Nos semelles crissaient sur le dallage. Comme les Souvenants étaient invisibles, je m'approchai d'un terminal, enfilai un bonnet à pensées et annonçai au cerveau embaumé auquel je fus connecté que j'étais à la recherche du Souvenant Basil dont j'avais brièvement fait la connaissance à Roum.

— Que lui veux-tu ?

— J'apporte son écharpe qu'il m'a confiée en fuyant Roum.

— Le Souvenant Basil y est retourné pour poursuivre ses recherches avec l'autorisation de l'occupant. Un autre membre de la confrérie va venir prendre l'écharpe.

L'attente fut de courte durée. Planté au fond du vestibule à côté du prince Enric, j'observais les envahisseurs si visiblement avides d'apprendre quand, soudain, surgit un personnage trapu à la mine revêche, un peu moins âgé que moi mais loin d'être de la première jeunesse. L'écharpe cérémonielle de sa confrérie recouvrait ses larges épaules.

— Je suis le Souvenant Elegro, dit-il sur un ton funèbre.

— Je viens vous remettre l'écharpe de Basil.

— Suivez-moi.

Il avait émergé d'une porte coulissante indécelable à l'œil nu qui s'ouvrait dans le mur. Il s'y engouffra à nouveau et s'engagea d'un pas vif dans une galerie. Je lui criai que mon compagnon était aveugle et ne pouvait pas marcher aussi vite. Il attendit alors avec une impatience manifeste que nous l'eussions rejoint. Un rictus tordit ses lèvres à la moue grognonne et ses doigts courtauds farfouillèrent dans sa barbe brune aussi touffue que frisée. Quand nous l'eûmes rattrapé, il se remit en marche d'une allure plus modérée et, après avoir suivi un nombre incalculable de corridors, nous finîmes par arriver chez lui, quelque part très haut dans la tour.

La pièce était sombre mais équipée d'une grande abondance d'écrans, de bonnets à pensées, d'accessoires à écrire, de boîtes à voix et autres instruments à l'usage des érudits. Les murs étaient recouverts de tentures écarlates manifestement vivantes puisque leurs bords se plissaient et se déplissaient de façon rythmique. Trois globes flottants dispensaient une lumière pauvre.

— L'écharpe, ordonna le Souvenant.

Je sortis ma besace. Cela m'avait amusé de la porter dans les premiers temps de la conquête quand régnait la confusion

— après tout, Basil l'avait laissée entre mes mains quand il avait pris la fuite ; je n'avais nullement eu l'intention de la lui arracher mais, visiblement, il ne s'était guère soucié de sa perte — mais je n'avais pas tardé à la cacher car la vue d'un homme en tenue de Guetteur affublé d'une écharpe de Souvenant semait le désarroi.

Elegro la happa, la déplia et se mit à l'examiner de près, à croire qu'il y cherchait de la vermine.

— Comment cette écharpe est-elle en ta possession ?

— Nous sommes tombés par hasard l'un sur l'autre, Basil et moi, tout au début de l'invasion. Il faisait preuve d'une intense agitation. J'ai essayé de le retenir mais il a poursuivi son chemin en courant et je me suis retrouvé avec son écharpe à la main.

— Le récit qu'il nous a fait était différent.

— Si je lui ai causé tort, je le regrette.

— Enfin, tu as restitué l'objet. Je le ferai savoir à Roum ce soir. Espères-tu une récompense ?

— Oui.

— Laquelle ? s'enquit-il, manifestement contrarié.

— Que l'on me permette d'entrer dans la confrérie des Souvenants comme apprenti.

Ma réponse l'abasourdit.

— Mais tu appartiens déjà à une confrérie.

— Être Guetteur, c'est être hors-confrérie à l'heure qu'il est. Qu'y a-t-il à guetter ? Je suis délié de mes vœux.

— Peut-être. Mais tu es bien vieux pour entrer dans une nouvelle confrérie.

— Je ne suis pas *trop* vieux.

— La nôtre est difficile.

— Je suis disposé à travailler dur. Je souhaite apprendre. La curiosité est née en moi avec l'âge.

— Fais-toi Pèlerin comme ton ami. Tu verras le monde.

— Je le connais. Je désire maintenant rejoindre les Souvenants et connaître le passé.

— Toutes nos banques mémorielles sont à ta disposition en bas. Il suffit de manipuler un cadran.

— Ce n'est pas pareil. Acceptez ma candidature.

— Entre comme apprenti chez les Coteurs, suggéra-t-il. Le travail est analogue mais moins astreignant.

— Je demande à être reçu comme apprenti chez les Souvenants.

Elegro poussa un profond soupir. Joignant les doigts, il pencha la tête, les lèvres serrées. Il n'avait jamais entendu requête pareille. Pendant qu'il réfléchissait, une porte s'ouvrit et une Souvenante entra, tenant à deux mains un petit globe à musique serti de turquoises. Elle fit quatre pas et s'arrêta, surprise de trouver des visiteurs.

— Je reviendrai plus tard, s'excusa-t-elle avec un plongeon du menton.

— Non, reste. C'est ma femme, la Souvenante Olmayne, ajouta-t-il à mon attention et à celle du prince. (Et il enchaîna, s'adressant, cette fois, à son épouse :) Ce sont des voyageurs qui arrivent de Roum. Ils sont venus rapporter l'écharpe de Basil. Le Guetteur sollicite maintenant que notre confrérie l'accepte comme apprenti. Qu'en penses-tu ?

Le front laiteux de la Souvenante Olmayne se plissa. Quand elle déposa le globe à musique dans un vase de cristal noir, elle actionna involontairement le mécanisme et une dizaine d'accords chatoyants retentirent avant qu'elle ne l'arrêtât. Alors, elle nous contempla — et je la contemplai. Elle était nettement plus jeune que son mari. Celui-ci était d'âge mûr alors qu'elle semblait avoir à peine franchi le cap de la prime jeunesse. Cependant, il émanait d'elle une force révélant une plus grande maturité. Je me dis qu'elle était peut-être allée à Jorslem pour une cure de jouvence mais, en ce cas, il était singulier qu'Elegro n'en eût pas fait autant — à moins qu'il ne préférât avoir l'air d'un grison. C'était incontestablement une femme attirante. Le visage large, le front haut, les pommettes accusées, la bouche pleine et sensuelle, le menton ferme. Ses cheveux noirs et lustrés tranchaient spectaculairement sur l'étrange pâleur de son teint. Une peau aussi claire est exceptionnelle mais je sais que c'était chose courante dans l'ancien temps quand la race était différente. Avluela, mon adorable petite Volante, offrait le même mélange contrasté de sombre et de clair mais la ressemblance s'arrêtait là car elle était toute fragilité alors que la Souvenante Olmayne était la vivante incarnation de la force. Sous un long cou svelte s'épanouissait un corps aux épaules bien assises, à la poitrine haut placée, aux jambes fermes. Elle avait un port de reine.

Elle nous étudia si longtemps que j'avais peine à soutenir le regard calme de ses yeux noirs largement écartés. Enfin, elle parla :

— Le Guetteur se considère-t-il comme qualifié pour rejoindre nos rangs ?

La question s'adressait apparemment à celui d'entre nous qui voudrait bien y répondre. J'hésitai. Elegro aussi. Et ce fut le prince de Roum qui répliqua de sa voix autoritaire :

— Le Guetteur est qualifié pour être admis dans votre confrérie.

— Et qui es-tu, toi ? s'enquit Olmayne.

Le prince adopta instantanément un ton plus conciliant :

— Un malheureux Pèlerin aveugle, gente dame, qui est venu de Roum à pied en compagnie de cet homme. Si je peux me permettre de donner mon avis, vous pourriez faire un plus mauvais choix.

— Et toi ? dit Elegro. Quels sont tes projets ?

— Je souhaite seulement trouver refuge ici. Je suis fatigué d'errer sur les routes et il y a beaucoup de choses auxquelles je dois réfléchir. Peut-être pourriez-vous me confier de petites tâches ? Je ne voudrais pas me séparer de mon compagnon.

Olmayne me dévisagea :

— Nous allons débattre de ton cas. Si ta candidature est approuvée, tu passeras les épreuves. Je me porterai garante de toi.

— Olmayne ! s'exclama Elegro avec un ahurissement évident.

Elle nous adressa aux uns et aux autres un sourire serein.

Une scène de ménage menaçait mais l'orage fut évité et les Souvenants nous accordèrent l'hospitalité. Ils nous offrirent des jus de fruits ainsi que des boissons plus fortes et nous autorisèrent à passer la nuit chez eux. Nous soupâmes en tête à tête dans une autre partie de l'appartement tandis que des Souvenants étaient convoqués pour examiner ma demande irrégulière. Le prince était en proie à une curieuse agitation. Il engloutissait sa nourriture, il renversa un flacon de vin, il tripotait nerveusement ses couverts et portait sans cesse ses doigts à ses yeux de métal comme si ses lobes cérébraux le démangeaient et qu'il essayât de les gratter.

— Décris-la-moi ! finit-il par m'ordonner d'une voix basse et pressante.

Je m'exécutai sans lésiner sur les détails, mettant dans mes mots les couleurs et les ombres qui convenaient pour brosser d'Olmayne un portrait aussi vivant que possible.

— Elle est belle, dis-tu ?

— Je le crois. Vous savez qu'à mon âge ce ne sont plus les sécrétions glandulaires qui parlent mais qu'on en est réduit à juger à partir de concepts abstraits.

— Sa voix m'a électrisé. Elle a de l'autorité. Elle est royale. Cette femme est nécessairement belle. Si son corps n'était pas en harmonie avec sa voix, il n'y aurait pas de justice.

— Elle est l'épouse d'un homme qui nous a offert l'hospitalité, rétorquai-je avec emphase.

Je me rappelai le jour où, à Roum, le palanquin était sorti du palais. Le prince avait remarqué Avluela, avait ordonné qu'on la lui amène et, derrière le rideau tiré, il avait usé d'elle. Un Dominateur pouvait peut-être agir de la sorte avec des gens de moins haute extraction mais pas un Pèlerin et je redoutais, maintenant, les projets qu'il nourrissait.

Derechef, il tapota ses yeux. Ses muscles faciaux se contractèrent.

— Promettez-moi de laisser cette femme tranquille.

Ses lèvres se retroussèrent comme s'il allait me remettre sèchement à ma place mais il se domina et dit avec effort :

— Tu me juges mal, vieil homme. Je respecterai les lois de l'hospitalité. Aie l'obligeance de me verser encore du vin, veux-tu ?

Je pianotai sur l'alvéole de service d'où jaillit un second flacon. C'était un vin rouge et fort sans rapport avec le breuvage d'or de Roum. Je servis. Nous bûmes. Le récipient fut bientôt vide. Je le saisis selon ses lignes de polarité, exerçai le mouvement de torsion qu'il fallait et il éclata, se volatilisant comme une bulle. Quelques instants plus tard, la Souvenante Olmayne fit son entrée. Elle s'était changée. Au lieu de la robe d'après-midi en tissu grossier aux teintes estompées, elle portait une rutilante tunique écarlate attachée entre les seins et qui révélait les courbes et les ombres de son corps. J'en fus ému.

— Ta requête que j'ai soutenue a été acceptée, m'annonça-t-elle avec satisfaction. Tu subiras les épreuves ce soir. Si tu les réussis, tu seras attaché à notre section. (Une lueur malicieuse brilla soudain dans ses prunelles.) Il faut que tu saches que mon mari est extrêmement mécontent mais son courroux n'a rien de redoutable. Suivez-moi tous les deux.

Elle nous prit par la main, le prince et moi. Ses doigts étaient frais. Je brûlai de fièvre et m'émerveillai de sentir qu'une jeunesse nouvelle naissait en moi — sans même que j'eusse eu recours aux eaux de la maison de jouvence de la sainte Jorslem.

— Venez, dit Olmayne.

Et elle nous mena au lieu des épreuves.

3

Et j'entrai donc dans la confrérie des Souvenants.

Les épreuves furent de pure forme. Olmayne nous introduisit dans une pièce ronde située quelque part dans la partie supérieure de la tour. Ses murs incurvés étaient incrustés de bois précieux de diverses couleurs, elle était garnie de bancs scintillants et, au centre, il y avait une spirale de la hauteur d'un homme sur laquelle étaient gravés des caractères trop fins pour que je pusse les déchiffrer. Une demi-douzaine de Souvenants, manifestement venus dans le seul but d'accéder au caprice d'Olmayne et qui se moquaient éperdument du vieux Guetteur miteux qu'elle parrainait inexplicablement, étaient vautrés ici et là avec indolence.

On me donna un bonnet à pensées et une voix éraillée me posa un certain nombre de questions, étudiant mes réactions et m'interrogeant sur ma vie. J'indiquai mon appartenance pour qu'on puisse s'informer auprès du chef local de la confrérie, s'assurer de la véracité de mes déclarations et me délier de mes vœux. Normalement, un Guetteur ne pouvait pas en être relevé mais nous vivions des temps exceptionnels et je savais que ma confrérie avait volé en éclats.

Tout fut réglé en une heure. Olmayne me remit alors l'écharpe de la confrérie.

— On va te donner un local proche de notre appartement, me dit-elle. Il faudra que tu ôtes ton habit de Guetteur mais ton ami pourra garder sa houppelande de Pèlerin. Ton apprentissage commencera après une période probatoire. D'ici là, tu auras librement accès aux silos à mémoire. Sache bien que tu ne seras pas membre à part entière de la confrérie avant dix ans ou plus.

— Je le sais.

— Désormais, tu t'appelleras Tomis. Pas encore le Souvenant Tomis mais Tomis des Souvenants. Il y a une nuance. Ton ancien nom ne compte plus.

On nous conduisit, le prince et moi, à la petite chambre que nous partagerions. Elle était bien modeste mais néanmoins équipée de tout ce qu'il fallait pour se laver, et il y avait des branchements pour bonnets à pensées, d'autres appareils de documentation ainsi qu'un distributeur d'aliments. Le prince Enric la parcourut en tâtonnant pour en apprendre la disposition. Des armoires, des lits, des sièges, des éléments de rangement et autres pièces de mobilier jaillirent des murs et y rentrèrent à mesure qu'il tripotait gauchement les commandes. Enfin, satisfait et sans maladresse, il mit un lit en service et un faisceau lumineux fusa d'une fente. Il s'allongea.

— Dis-moi une chose, Tomis des Souvenants.

— Quoi donc?

— Il faut que tu assouvisses la curiosité qui me dévore. Quel était ton ancien nom ?

— Cela n'a plus d'importance, maintenant.

— Tu es délié de tes vœux et n'es plus tenu au secret. Vas-tu quand même persister à refuser de me répondre ?

— Ce sont les vieilles habitudes qui m'entravent. Depuis un laps de temps égal au double de ton existence, j'ai été conditionné à ne révéler mon nom sous aucun prétexte sauf pour des raisons légitimes.

— Dis-le-moi maintenant.

— Wuellig.

Énoncer mon ancien nom était étrangement libérateur. J'avais l'impression qu'il flottait dans l'air devant ma bouche, qu'il s'élançait à tire-d'aile comme un oiseau captif dont on ouvre la cage, qu'il s'élevait en chandelle, faisait brutalement demi-tour pour heurter un mur et s'y fracasser avec un léger et mélodieux tintement.

— Wuellig, répétai-je d'une voix tremblante. Mon nom était Wuellig.

— Il n'y a plus de Wuellig.

— Tomis des Souvenants.

Et nous éclatâmes de rire à en avoir mal. Le prince aveugle se leva d'un bond, fit claquer sa main contre la mienne en signe de bonne amitié et nous hurlâmes à maintes et maintes reprises nos deux noms comme des enfants qui, venant d'apprendre les mots de la puissance, découvrent que leur pouvoir est, en réalité, bien mince.

C'est ainsi que je commençai une vie nouvelle parmi les Souvenants.

Pour un temps, je ne mis pas les pieds hors de la maison mère. Mes jours et mes nuits étaient largement remplis et c'était pour moi comme si Perris n'existait pas. Le prince, lui non plus, ne sortait pour ainsi dire pas, encore qu'il fût moins occupé que moi, sauf quand il était en proie à une crise de mélancolie ou de fureur. Tantôt la Souvenante Olmayne l'accompagnait, tantôt c'était lui qui l'accompagnait pour ne pas être seul dans ses ténèbres mais je sais qu'il lui arrivait parfois de quitter l'édifice sans personne par esprit de provocation, résolu à démontrer que le non-voyant qu'il était pouvait cependant affronter les défis de la cité.

Pendant les heures de veille, mon emploi du temps se répartissait en fonction de trois activités :

— Orientations préliminaires.

— Corvées domestiques qui étaient le lot des novices.

— Recherches personnelles.

Je ne fus guère étonné de constater que j'étais beaucoup plus âgé que les autres apprentis résidents. La plupart étaient des enfants de Souvenants et ces jeunes me contemplaient avec ahurissement, incapables de comprendre comment il se faisait qu'ils eussent un condisciple d'âge aussi vénérable. Il y en avait quelques-uns nettement plus âgés, ceux qui avaient trouvé sur le tard leur vocation de Souvenant, au mitan de leur existence, mais aucun n'était aussi vieux que moi. Aussi avais-je peu de contacts avec mes collègues apprentis.

Nous étudions chaque jour les techniques grâce auxquelles les Souvenants retrouvent le passé de la Terre. Je visitai en ouvrant de grands yeux les laboratoires où l'on analyse les spécimens prélevés sur le terrain. Je vis les détecteurs qui, prenant pour base la période de désintégration d'une pincée d'atomes, permettent de dater un objet manufacturé. J'observai les rayons multicolores fusant d'une valve annulaire qui réduisaient en cendres un éclat de bois pour extraire les secrets qu'il recelait. Je regardai les images mêmes du passé arrachées à la matière inerte. Nous laissons, en effet, nos empreintes, où que nous allions : les particules de lumière ricochent sur notre visage et le flux photonique les cloue à notre environnement. Il ne reste plus alors aux Souvenants qu'à décoller ces traces, à les répertorier et à les stabiliser. Je pénétrai dans une salle où une théorie de visages fantomatiques se pressaient dans une brume bleutée d'aspect huileux : rois et maîtres de confrérie évanouis, ducs oubliés, héros des temps antiques. Je vis des techniciens flegmatiques sonder l'histoire en se servant de quelques poignées de substances carbonisées. Je vis des tas de détritus imbibés d'eau raconter des révolutions et des assassinats, des transformations culturelles, des changements de mœurs.

Je fus ensuite superficiellement instruit des méthodes de recherches *in situ*. Des simulateurs astucieux me montrèrent les Souvenants fouillant les tumulus des grandes villes détruites de Frique et d'Aïs à l'aide de manchons à vide. Je participai par personnes interposées aux expéditions sous-marines qui ramenaient les vestiges des civilisations des continents perdus. Des équipes de Souvenants, enfermés dans des engins translucides en forme de goutte d'eau semblables à des globes gélatineux, s'enfonçaient dans les profondeurs de l'océan Terre et foraient de faisceaux d'énergie violette la surface envasée des anciens plateaux territoriaux pour en exhumer les vérités enfouies. Je vis à l'œuvre les ramasseurs de tessons, les arracheurs d'ombres, les collecteurs de films moléculaires. L'une des meilleurs expériences d'orientation était une séquence montrant quelques véritables héros de la Souvenance déterrer une machine météorologique en Basse-Frique. Après avoir mis à nu la base de la gigantesque installation, ils l'aspiraient au moyen d'extirpateurs énergétiques d'une puissance telle que le sol même paraissait hurler pendant l'opération. Tandis que la monstrueuse relique, témoin de la folie du second cycle, flottait dans les airs, des experts arborant l'écharpe de la confrérie sondaient l'excavation pour découvrir comment avait été dressé la colonne.

Ces séances d'initiation firent naître en moi une prodigieuse admiration pour la confrérie que j'avais choisie. Les Souvenants que j'avais eu l'occasion de rencontrer m'avaient généralement fait l'effet de gens pompeux, méprisants, hautains ou simplement distants, qui n'attiraient pas la sympathie. Mais le tout est plus grand que la somme de ses parties et l'attitude distraite d'hommes comme Basil et Elegro, leur indifférence à l'endroit des soucis ordinaires du commun des mortels, leur détachement m'apparaissaient maintenant sous un jour nouveau : ils étaient partie prenante à la colossale entreprise qui avait pour but d'arracher notre glorieux passé à l'éternité. Cette grandiose quête des jours lointains était le seul substitut remplaçant les anciennes activités humaines. N'ayant plus ni présent ni avenir, nous étions par force contraints de nous concentrer exclusivement sur un passé dont personne ne pouvait nous dépouiller pour peu que nous fussions assez vigilants.

Pendant des jours sans nombre, j'assimilai cette entreprise dans tous ses détails, me familiarisai avec toutes les étapes de ce grand œuvre, depuis la collecte des grains de poussière sur le terrain et leur analyse après traitement en laboratoire jusqu'à la phase suprême : le travail de synthèse et d'interprétation réservé aux vieux Souvenants du niveau supérieur du bâtiment. Je ne fis qu'entr'apercevoir ces sages, des vieillards ridés et desséchés qui auraient pu être mes grands-pères, leur tête chenue inclinée et des lèvres minces desquelles s'échappait un bourdonnement de commentaires, de gloses, d'objections et de corrections. On me souffla que certains avaient subi jusqu'à deux et trois cures de rajeunissement à Jorslem, qu'aucun bain de jouvence ne pouvait désormais plus rien pour eux et qu'ils avaient définitivement atteint le soir de leur vie.

Nous visitâmes ensuite les silos à mémoire où les Souvenants emmagasinaient les fruits de leurs recherches et qui renseignaient les curieux. Lorsque j'étais Guetteur, ces cuves ne m'intéressaient guère. Cependant, je n'avais jamais rien vu de pareil. Celles des Souvenants n'étaient pas de simples éléments de stockage de trois ou cinq cerveaux mais de gigantesques installations où cent cerveaux et plus étaient montés en série. On nous fit entrer dans une salle oblongue — il y en avait des dizaines et des dizaines d'autres analogues sous le bâtiment ainsi que je l'appris —, profonde mais basse de plafond, où les gaines à cerveau s'alignaient à perte de vue par rangs de neuf. La perspective joue des tours bizarres : j'étais incapable de dire s'il y avait dix rangées ou cinquante et la vue de ces hémisphères blanchâtres avait quelque chose d'immensément écrasant.

Le guide à qui je demandai si c'était là les cerveaux d'anciens Souvenants me répondit :

— Il y en a quelques-uns mais il est inutile de recourir exclusivement aux Souvenants. N'importe quel cerveau humain normal fait l'affaire. Même un Serviteur a plus de capacité de stockage que tu ne l'imagines. Nos circuits n'ayant pas besoin de données faisant double emploi, nous pouvons intégralement exploiter les possibilités de chaque cerveau.

J'essayai de percer du regard les lourds fourreaux luisants qui protégeaient les silos.

— Qu'est-ce qui est archivé dans cette salle ?

— Les noms des habitants de la Frique du second cycle et toutes les données individuelles les concernant que nous avons recueillies jusqu'à maintenant. De plus, comme ces cellules ne sont pas sous pleine charge, nous y avons provisoirement entreposé certains détails d'ordre géographique relatifs aux continents perdus et des documents touchant à la création du Pont de Terre.

— Est-il facile de faire passer ces informations en archives permanentes ?

— Absolument. Ici, tout est électromagnétique. Les données sont des agrégats de charges. Pour les transférer d'un cerveau à un autre, il suffit d'inverser la polarité.

— Et en cas de panne d'électricité ? Tu disais qu'il n'existe pas d'éléments faisant double emploi. Ne risque-t-on pas de perdre des données accidentellement ?

— Non. Tout un ensemble de dispositifs de sécurité est prévu afin d'assurer une alimentation électrique sans défaillance. Et la plus efficace de ces sécurités, c'est que nous employons des tissus organiques pour nos unités de stockage. En effet, à supposer qu'un incident provoque une coupure de courant, les cerveaux garderaient les données emmagasinées. Récupérer leur contenu serait compliqué mais nullement impossible.

— A-t-on eu des difficultés au moment de l'invasion ?

— Nous sommes sous la protection des envahisseurs qui considèrent que notre travail est essentiel à leurs intérêts.

Peu après cette visite, une assemblée générale des Souvenants fut convoquée et les apprentis eurent le droit d'assister à la réunion du haut d'un balcon. Nous vîmes au-dessous de nous siéger en majesté les membres de la confrérie arborant leur écharpe. Elegro et Olmayne étaient parmi eux. Sur le podium orné de la spirale symbolique siégeait, austère et impressionnant, le chancelier Kenishal des Souvenants. A côté de lui se tenait un personnage encore plus frappant appartenant à la race qui avait conquis la Terre.

Kenishal prononça une brève allocution. La sonorité de sa voix ne masquait pas entièrement le vide de ses propos. Comme tous les administrateurs de l'univers, il débitait des platitudes et célébrait implicitement sa propre louange en rendant hommage à l'œuvre considérable qu'avait accomplie la confrérie. Enfin, il céda la parole à l'envahisseur.

L'étranger tendit les deux bras — on aurait dit qu'ils touchaient presque les murs de l'auditorium — et commença sur un ton paisible :

— Je suis Manrule Sept, procurateur de Perris, directement responsable de la confrérie des Souvenants. Je suis venu ici aujourd'hui dans l'intention de confirmer le décret pris par les autorités d'occupation. Les Souvenants vaqueront à leurs activités sans aucune restriction. Vous aurez librement accès à tous les lieux de la planète et pourrez vous rendre sur n'importe quel autre monde dans le cadre de vos recherches sur le passé de la Terre. Toutes les archives vous seront ouvertes sauf celles qui ont trait à l'organisation de la conquête elle-même. Le chancelier Kenishal m'a fait savoir que, de toute manière, la conquête n'est pas du ressort de votre étude. Cela ne présente donc pas d'inconvénients. Le gouvernement d'occupation est conscient de la valeur du travail qu'effectue votre confrérie. L'histoire de cette planète revêt une grande importance et nous souhaitons que vous poursuiviez votre tâche.

— Pour donner à la Terre davantage d'attrait touristique, chuchota à mon oreille le prince de Roum avec aigreur.

— Le chancelier, poursuivit Manrule Sept, m'a prié de vous informer d'un changement administratif qui doit nécessairement intervenir du fait du statut de territoire occupé qui est maintenant celui de votre planète. Jusqu'ici, tous les différends qui surgissaient entre vous étaient soumis à l'arbitrage de vos tribunaux confraternels, le chancelier Kenishal constituant l'instance d'appel suprême. Dans l'intérêt de l'efficacité administrative, nous sommes désormais obligés d'imposer notre juridiction à la confrérie. En conséquence, le chancelier portera à notre connaissance tous les litiges échappant dorénavant à sa compétence.

Les Souvenants poussèrent des exclamations étouffées et s'entre-regardèrent en s'agitant sur leurs sièges.

— Le chancelier a capitulé ! s'exclama un apprenti près de moi.

— Il n'a pas le choix, imbécile ! répondit un autre dans un souffle.

La séance fut levée dans la confusion. Les Souvenants se répandirent dans les couloirs avec force gesticulations, discussions et récriminations. Un vénérable porteur d'écharpe était tellement secoué qu'il s'accroupit pour se livrer à des exercices de stabilisation sans se soucier de la cohue. La marée déferla sur les apprentis, les repoussant. Je tentai de protéger le prince, craignant qu'il ne fût renversé et piétiné mais nous fûmes séparés et je le perdis de vue pendant plusieurs minutes. Quand je le revis, il était avec Olmayne. La Souvenante était écarlate et ses yeux jetaient des flammes. Elle parlait sur un débit précipité et le prince l'écoutait, la tenant par le coude pour garder l'équilibre.

4

Après cette première période d'initiation, on m'assigna de petites tâches. Je ne faisais pour ainsi dire que des choses qui, en d'autres temps, étaient entièrement effectuées par des machines. Par exemple, surveiller les tubulures d'alimentation qui apportaient les éléments nutritifs aux cerveaux des silos à mémoire. Chaque jour pendant plusieurs heures, je parcourais l'étroite galerie d'inspection à l'affût des conduits bouchés. L'installation était conçue de telle façon que lorsque l'un d'eux était obstrué, la gaine transparente qui l'entourait subissait une surcontrainte que des faisceaux de lumière polarisée permettaient de détecter. Je m'acquittai donc de cette humble fonction (de temps en temps, je décelais un engorgement) et d'autres modestes corvées ainsi qu'il convenait à un apprenti. Mais j'étais aussi en mesure de poursuivre mes recherches sur l'histoire de la planète.

Il arrive parfois qu'on ne se rende compte de la valeur des choses que lorsqu'on les a perdues. Toute ma vie durant, je m'étais préparé en tant que Guetteur à donner au plus tôt l'alerte dans l'éventualité de l'invasion prédite, sans trop chercher à savoir qui pourrait vouloir nous envahir — ni pourquoi. Toute ma vie durant, bien que sachant vaguement que la Terre avait connu des jours autrement glorieux avant le troisième cycle qui m'avait vu naître, je n'avais cherché à savoir ni à quoi ressemblait la planète en son âge d'or ni les raisons de son déclin. Ce n'avait été que lorsque les astronefs de l'invasion avaient surgi dans le ciel que j'avais éprouvé le soudain et violent désir de connaître ce passé perdu. Maintenant, Tomis des Souvenants, l'apprenti le plus chargé d'ans, fouillait les archives de ces époques évanouies.

Tout citoyen a le droit d'enfiler un bonnet à pensées public et d'obtenir des Souvenants un renseignement sur n'importe quel sujet. Rien n'est caché. Mais les Souvenants n'aident pas le demandeur. Il faut savoir comment poser la question, c'est-à-dire qu'il faut savoir quelle question poser. On est obligé de rechercher les données les unes après les autres. Ce système rend service à celui qui veut connaître, disons les modalités climatiques à long terme d'Ogypte, les symptômes de la maladie de la cristallisation ou les limitations de la charte de telle ou telle confrérie, mais il n'est d'aucun secours pour qui s'intéresse à de plus vastes questions. Dans ce cas, il est nécessaire de réunir un bon millier d'informations rien que comme point de départ, ce qui représente une dépense considérable et rares sont ceux qui prendraient cette peine.

En tant qu'apprenti Souvenant, j'avais accès à toutes les données et, ce qui était encore plus important, aux cotes. Les Coteurs sont une confrérie auxiliaire de la Souvenance, une caste de besogneux qui enregistrent et classent des éléments que, souvent, ils ne comprennent pas. Le fruit de leur travail est exploité par la grande confrérie mais les cotes ne sont pas à la disposition de tout le monde. Et, sans elles, il est quasiment impossible de résoudre les problèmes de la recherche.

Je ne m'étendrai pas sur le cheminement qui m'a permis de conquérir le savoir que je détiens — les longues heures de piétinement dans le labyrinthe des galeries, les échecs, les désarrois, les migraines qui ont été mon lot. Apprenti jobard, j'étais une proie toute désignée pour les mauvais plaisants et bien des condisciples, voire un ou deux membres de la confrérie, se faisaient un malin plaisir de m'induire en erreur rien que pour s'amuser. Mais j'appris quelles voies il fallait suivre, j'appris à organiser une séquence de questions, à progresser peu à peu de références en références jusqu'à ce que jaillisse la lumière de la vérité. Je dus ainsi à ma persévérance plus qu'à mon intelligence de pouvoir reconstituer à partir des archives des Souvenants le récit cohérent de la chute de l'homme.

Le voici.

•

A une époque très reculée, que nous appelons le premier cycle, la vie sur la Terre était brutale et primitive. Je ne parle pas de la période antérieure à la civilisation, l'ère des créatures velues au langage inarticulé, vivant dans des cavernes et se servant d'outils de pierre. On considère que le premier cycle a commencé lorsque l'homme a appris à accumuler les informations et à maîtriser son environnement. Cela eut lieu en Ogypte et à Sumir. Le premier cycle débuta il y a quelque 40 000 ans selon notre échelle des temps mais sa durée ne peut être établie avec certitude puisque celle de l'année s'est modifiée à la fin du second cycle et que nous avons été incapables jusqu'à présent de déterminer en combien de temps notre planète effectuait sa révolution autour du soleil aux époques précédentes. Peut-être la période de révolution était-elle un peu plus longue que de nos jours.

Le premier cycle fut celui de la Roum impériale et de l'ascension initiale de Jorslem. Eyrop était encore à l'état sauvage alors qu'Aïs et plusieurs régions de Frique étaient déjà depuis longtemps civilisées. A l'ouest, deux vastes continents occupaient une grande partie de l'océan Terre. Ils étaient également peuplés de sauvages.

Il est acquis que, au cours de ce cycle, l'humanité n'était en contact avec aucun autre monde, aucune étoile. Un tel isolement est difficile à concevoir. Pourtant, c'était ainsi. La seule source de lumière artificielle était le feu. L'homme était impuissant devant la maladie et le rajeunissement était inconnu. C'était une ère sans confort, sinistre et rude dans sa simplicité. La mort survenait précocement. A peine avait-on le temps d'engendrer quelques fils ici et là que, déjà, l'on disparaissait. Les hommes vivaient dans la peur mais ce n'étaient presque jamais des choses réelles qu'ils redoutaient.

L'âme a un mouvement de recul quand on se penche sur ces temps. Et pourtant il est vrai que des cités magnifiques ont été fondées au premier cycle — Roum, Perris, Atin, Jorslem — et que de splendides prouesses y furent accomplies. On éprouve un sentiment de crainte respectueuse devant de tels ancêtres nauséabonds (sans nul doute), illettrés, dépourvus de machines et qui, pourtant, se sont révélés capables de s'adapter à leur univers et de le dominer dans une certaine mesure.

Le premier cycle était placé sous le signe de la guerre et de la désolation. La destruction et la création étaient presque simultanées. Les flammes dévoraient les cités les plus glorieuses et l'ordre menaçait à tout instant de sombrer dans le chaos. Comment des hommes ont-ils pu supporter une pareille situation pendant des milliers d'années ?

Une bonne partie de ce primitivisme avait disparu vers la fin du premier cycle. Enfin, l'homme disposait de sources d'énergie. On vit naître des moyens de transport proprement dit. La communication à longue distance devint possible. De nombreuses inventions transformèrent le monde en un bref laps de temps. L'art de la guerre se développait au même rythme que le progrès technologique dans d'autres domaines mais la catastrophe totale fut évitée, encore qu'en plusieurs occasions il s'en fallût d'un cheveu. Ce fut durant la phase terminale de ce cycle que l'on colonisa les continents perdus ainsi que Stralya et que furent noués les premiers contacts avec les planètes voisines de notre système solaire.

Le passage du premier cycle au second est arbitrairement fixé au jour où l'homme rencontra pour la première fois des êtres intelligents originaires de mondes lointains, c'est-à-dire, estiment les Souvenants, moins de cinquante générations après que les gens du premier cycle eurent acquis la maîtrise des énergies électronique et nucléaire. On est donc en droit de soutenir que nos ancêtres sont passés directement de la sauvagerie au contact galactique — ou, à tout le moins, qu'ils ont rapidement franchi le gouffre en quelques enjambées.

C'est, là encore, un sujet d'orgueil. Car si le premier cycle fut grand en dépit de ses handicaps, le second n'eut pas de handicaps et il fit des miracles.

Ce fut à cette époque que l'humanité atteignit les étoiles et que les étoiles vinrent à l'humanité. La Terre était le carrefour commercial où convergeaient les richesses de toutes les planètes. Les merveilles étaient chose banale. L'espérance de vie était de plusieurs siècles. On remplaçait les yeux, les cœurs, les poumons, les reins, aussi facilement qu'une paire de chaussures. L'air était pur, personne ne souffrait de la faim, la guerre était oubliée. Des machines de toutes sortes étaient au service de l'homme. Mais les machines ne suffisaient pas et les gens du second cycle créèrent des hommes qui étaient des machines — ou des machines qui étaient des hommes : des créatures génétiquement humaines mais engendrées artificiellement auxquelles on administrait des drogues les empêchant de conserver des souvenirs permanents. Ces êtres, analogues à nos neutres, travaillaient avec efficacité mais ne pouvaient édifier ce corpus de souvenirs, d'expériences, d'espérances et d'aptitudes qui est la marque de l'âme humaine. Des armées de ces créatures pas tout à fait humaines se chargeaient des mornes tâches quotidiennes, permettant ainsi aux hommes qu'elles libéraient de vivre une existence radieuse et épanouie.

Après la création des sous-hommes vint celle des super-animaux qui, par le truchement de manipulations biochimiques du cerveau, étaient capables d'activités transcendant les facultés de l'espèce : des chiens, des chats, des souris, du bétail furent enrôlés dans l'armée du travail tandis que certains primates supérieurs prenaient en charge des fonctions autrefois réservées aux humains. Grâce à cette exploitation totale de l'environnement, l'homme créa un paradis sur Terre.

La pensée atteignit les cimes. Poètes, intellectuels et savants apportèrent une admirable contribution au progrès. Des cités sublimes émaillaient la Terre. La population était immense mais il y avait cependant place pour tout le monde et les ressources étaient inépuisables. On pouvait se passer toutes ses fantaisies, quelles qu'elles fussent. De multiples recherches sur la chirurgie génétique, la mutagénétique et les produits tératogènes se poursuivaient de sorte que l'espèce humaine revêtait de nombreuses formes nouvelles. Néanmoins, il n'y avait rien de comparable aux variants de notre cycle actuel.

Des stations spatiales destinées à satisfaire tous les besoins imaginables sillonnaient le ciel en un majestueux cortège. C'est à cette époque que furent construites les deux nouvelles lunes dont les Souvenants n'ont d'ailleurs pas déterminé si elles avaient un rôle fonctionnel ou esthétique. Les aurores qui, aujourd'hui, illuminent chaque nuit le firmament ont peut-être été installées en cette période bien que certaines écoles de Souvenants pensent que les aurores des zones tempérées sont apparues en même temps que les premiers bouleversements géophysiques annonciateurs de la fin du second cycle.

C'était, en tout cas, l'ère la plus merveilleuse pour y vivre. « Voir la Terre et mourir » était le mot d'ordre des non-Terrestres. Quiconque faisait le tour de la galaxie s'en serait voulu d'omettre cette planète aux miracles. Nous réservions bon accueil aux étrangers, acceptions leurs compliments et leur bel argent, nous étions aux petits soins pour eux et nous affichions fièrement notre grandeur.

Le sort des puissants — le prince de Roum peut en témoigner — est parfois d'être abaissés et plus votre splendeur est élevée, plus dramatique sera la chute. Après quelques millénaires d'un lustre que je suis incapable d'imaginer, les bienheureux contemporains du second cycle, victimes de leur présomption, commirent deux mauvaises actions — l'une du fait d'une folle arrogance, l'autre en raison d'une confiance excessive en eux. La Terre paye encore les frais de leur outrecuidance.

Les conséquences de la première erreur mirent du temps à se faire sentir. Elle découla de l'attitude des Terriens à l'endroit des autres races de la galaxie, attitude qui était passée successivement au cours du second cycle de la crainte respectueuse à l'indifférence et, finalement, au mépris. A l'aube de ce cycle, une Terre naïve et mal dégrossie avait fait son entrée dans une galaxie déjà peuplée de races qui entretenaient depuis longtemps des rapports mutuels. Cela aurait pu produire un traumatisme psychologique catastrophique mais il n'en fut rien : la confrontation engendra chez les Terriens la volonté farouche d'affirmer leur suprématie, de l'emporter sur leurs interlocuteurs. Et ils en vinrent bientôt à considérer la plupart des Galactiques comme leurs égaux, puis à mesure que se développait le progrès, comme des inférieurs. Graduellement, ils s'habituèrent ainsi à mépriser les peuples rétrogrades.

De fil en aiguille, l'idée naquit de créer sur Terre des « réserves d'étude » où seraient rassemblés des spécimens des races inférieures. On y reconstituerait l'habitat naturel de celles-ci et elles seraient ouvertes aux chercheurs désireux d'observer leur mode de vie. Toutefois, les frais nécessités par la collecte et l'entretien des spécimens s'avérèrent tels qu'il fut bientôt nécessaire d'ouvrir également ces réserves au grand public et de les convertir en centres d'attractions. Ces réserves à caractère prétendument scientifique étaient, en fait, des zoos à l'usage d'autres créatures intelligentes.

Initialement, on n'y mettait que des êtres si dissemblables, si éloignés des normes biologiques ou psychologiques humaines, qu'il n'y avait guère de danger qu'on puisse voir en eux des « gens ». Une chose équipée de faisceaux de membres logée dans une cuve de méthane sous haute pression ne suscite pas la compassion de ceux qui seraient prêts à protester contre la mise en captivité de créatures intelligentes. Et s'il se trouve que l'amateur de méthane appartient à une civilisation complexe unique en son genre, adaptée à son environnement, on peut avancer que c'est une raison de plus pour reproduire cet environnement sur la Terre afin de permettre l'étude d'une aussi curieuse civilisation. En conséquence, les premières réserves contenaient exclusivement des échantillons bizarres. En outre, il était expressément interdit aux pourvoyeurs de capturer des représentants d'espèces qui n'avaient pas encore atteint le stade du voyage intergalactique : il aurait fait mauvais effet de kidnapper des formes de vie dont les cousins se trouvaient parmi les touristes interstellaires sur lesquels reposait maintenant pour une large part l'économie mondiale.

Le succès que rencontrèrent les premières réserves en entraîna la création de nouvelles. Les critères de sélection devinrent moins rigoureux. On ne se contenta plus de capturer des extra-terrestres totalement dissemblables et grotesques : on se mit à ramener sur la Terre les représentants de toutes les espèces qui n'étaient pas en mesure de faire des représentations diplomatiques. Plus l'audace de nos ancêtres augmentait, plus les règles s'assouplissaient, tant et si bien que les réserves finirent par compter des échantillons originaires d'un millier de planètes dont certaines pouvaient s'enorgueillir d'une civilisation plus ancienne et plus raffinée que la nôtre.

Il ressort des archives des Souvenants que l'expansion des réserves suscita le mécontentement dans bien des régions de l'univers. Les Terriens furent accusés de maraudage, de rapts et de piraterie, il se constitua des comités qui dénoncèrent notre mépris gratuit des droits inaliénables attachés à la personne des créatures douées de raison; des voyageurs séjournant sur d'autres mondes étaient pris à partie par des indigènes hostiles qui s'attroupaient pour exiger que nous libérions sans délai tous les pensionnaires des réserves. Les protestataires n'étaient cependant qu'une minorité : la plupart des Galactiques observaient un silence gêné. Ils déploraient la barbarie de nos réserves mais ne manquaient jamais de s'y rendre lorsqu'ils venaient sur la Terre. N'était-ce pas le seul endroit où il était possible de voir en quelques jours des centaines de formes de vie provenant de toutes les parties de l'univers? Les réserves étaient une attraction de choix, l'une des merveilles du cosmos. Par cette conspiration du silence, nos voisins se faisaient les complices d'une pratique amorale afin d'avoir le plaisir de visiter les prisonniers.

Les archives des Souvenants contiennent dans un silo à mémoire le témoignage d'une visite de réserve. C'est l'un des plus vieux documents visuels de la confrérie et j'eus les plus grandes difficultés à y avoir accès. Il fallut une intervention personnelle d'Olmayne. Bien que le bonnet soit muni d'un double filtre, la scène que l'on voit est floue mais, malgré tout, on distingue suffisamment. Une cinquantaine de créatures originaires d'un monde sans nom, au bas mot, sont parquées derrière une surface transparente concave. Leur corps pyramidal est bleu foncé avec, sur chaque pan, des zones optiques roses. Elles ont des jambes courtes et épaisses, et une paire de membres préhensiles par côté. Il est, certes, téméraire d'interpréter les sentiments intimes de créatures extra-terrestres mais il est évident que celles-ci sont habitées par un infini désespoir. Elles se déplacent mollement, apathiquement dans l'atmosphère verdâtre qu'elles respirent. Plusieurs ont leurs arêtes en contact — c'est certainement leur mode de communication. L'un des captifs semble être mort depuis peu de temps. Deux autres sont prostrés à même le sol comme des jouets au rancart mais leurs membres palpitent — peut-être sont-ils en prière. Ce spectacle est atroce. Par la suite, j'ai déniché d'autres documents analogues, oubliés dans des recoins de l'édifice. Ils m'ont beaucoup appris.

La multiplication des réserves se poursuivit au second cycle, sans entraves pendant plus d'un millier d'années, tant et si bien que tout le monde — sauf les victimes — finit par trouver logique et naturel que la Terre pratiquât ces cruautés au nom de la science.

Or, on découvrit un jour sur une lointaine planète où les Terriens n'avaient pas encore mis le pied, des êtres d'une espèce primitive comparables à nos ancêtres du premier cycle. D'aspect approximativement humanoïde, ils étaient incontestablement intelligents et d'une farouche sauvagerie. Après que plusieurs Terriens eurent perdu la vie, une expédition s'empara d'une colonie de reproducteurs qui furent ramenés sur Terre et installés dans une réserve.

Ce fut la première des deux fatales erreurs du second cycle.

Au moment de cet enlèvement, les indigènes de ladite planète — son nom ne figure pas dans les archives : elle est seulement désignée par son numéro de code, H362 — n'étaient en mesure ni de protester ni de procéder à des représailles. Mais ils ne tardèrent pas à recevoir la visite d'émissaires de plusieurs mondes politiquement alliés contre la Terre. Sous l'impulsion de ces envoyés, les naturels de H362 demandèrent qu'on leur rende leurs compatriotes. La Terre refusa, arguant de la longue tolérance interstellaire dont elle avait bénéficié. Aux multiples représentations diplomatiques qui s'ensuivirent, elle répondit simplement en réaffirmant son droit d'agir comme elle le faisait en vertu de ce précédent.

Les habitants de H362 passèrent alors à l'intimidation : « Un jour, vous le regretterez, dirent-ils. Nous envahirons et conquerrons votre planète, nous délivrerons tous les captifs des réserves et transformerons la Terre elle-même en une gigantesque réserve pour tous ses habitants. »

Compte tenu du rapport de force, le défi amusa.

Les millénaires suivants, on n'entendit plus beaucoup parler des contestataires de H362. Ils faisaient des progrès rapides là-bas, dans leur lointaine province de l'univers, mais comme, selon les estimations, il leur faudrait une période cosmique entière pour constituer une menace, la Terre les ignorait. Allez donc avoir peur d'une bande de sauvages armés de sagaies!

Et la Terre se lança un nouveau défi : s'assurer le contrôle du climat de la planète.

A partir de la fin du premier cycle, on savait modifier la météo sur une petite échelle — faire éclater les nuages porteurs de pluies en puissance, disperser les brouillards, rendre la grêle moins dévastatrice. On s'était livré à certaines opérations en vue de faire fondre les glaces polaires et de fertiliser les déserts. Mais ce n'avait été que des tentatives strictement localisées qui, à de rares exceptions près, n'avaient pas eu de conséquences durables sur l'environnement.

Le second cycle se lança dans une vaste entreprise consistant à implanter d'énormes colonnes en plus de cent endroits du globe. Nous ignorons quelle hauteur elles atteignaient puisque aucune n'est demeurée intacte et que les cahiers des charges ne sont pas parvenus jusqu'à nous, mais on s'accorde pour penser qu'elles égalaient ou dépassaient les édifices les plus élevés contruits jusqu'alors. Il est possible que leur altitude ait été de deux mille mètres ou davantage. Elles recelaient des dispositifs destinés, entre autres, à déplacer les pôles du champ magnétique terrestre.

Pour autant que nous le sachions, le rôle imparti aux machines météos était de transformer la géographie selon un programme soigneusement étudié en fonction de la répartition de ce que nous appelons l'océan Terre. Bien que connectés entre eux, ces vastes sous-océans étaient considérés comme des entités individuelles puisque, dans presque toutes les régions frontières, ils étaient coupés du reste de l'océan Terre par des masses terrestres. Dans la zone polaire boréale, par exemple, la jonction d'Aïs au continent perdu septentrional (appelé Usa-amrik) à l'ouest et la proximité d'Usa-amrik à Eyrop à l'est ne laissaient que d'étroits passages aux eaux polaires se mêlant à celles, plus chaudes, qui baignaient les continents perdus.

La manipulation des forces magnétiques induisit une vibration orbitale de la planète destinée à morceler la calotte polaire et à permettre aux eaux froides prisonnières de la banquise d'entrer en contact avec des eaux plus tièdes. L'élimination de la banquise boréale, ayant pour effet l'évaporation de l'océan septentrional, augmenterait dans des proportions considérables les précipitations sous ces latitudes. Afin que les pluies ne se transforment pas en chutes de neige dans ces régions, on procéda à d'autres manipulations dans l'intention de modifier le régime des vents d'ouest dominants entraînant les pluies sur les zones tempérées. Il fut envisagé de créer un flux naturel qui conduirait les précipitations des régions polaires vers des latitudes plus basses où l'humidité était insuffisante.

Ce n'est là qu'une faible partie de ce programme dont les détails nous échappent. Nous savons qu'il était question de détourner les courants océaniques en nivelant ou en exhaussant les masses terrestres, de dévier la chaleur solaire des tropiques vers les pôles et nous connaissons d'autres projets encore. Mais cela est sans importance. Ce qui compte, pour nous, c'est le résultat de cette grandiose entreprise.

Après une période de préparation qui s'étendit sur plusieurs siècles et qui coûta plus, en efforts et en argent, que n'importe quel autre projet de l'histoire humaine, les machines météorologiques furent mises en service.

Et ce fut la catastrophe.

Cette désastreuse expérience de modification de la géographie de la planète aboutit à un déplacement des pôles, à une longue période glaciaire intéressant la majeure partie de l'hémisphère septentrional, à la submersion imprévue d'Usa-amrik et de Sud-amrik, sa voisine, à la surrection du pont de Terre raccordant la Frique à Eyrope et au quasi-anéantissement de la civilisation humaine.

Ces bouleversements n'eurent pas lieu d'un seul coup. Apparemment, pendant les premiers siècles, tout se passa au mieux. Progressivement, les glaces polaires fondirent et l'on pallia l'élévation consécutive du niveau des mers en installant en divers points bien choisis de l'océan des évaporateurs à fusion — qui étaient, en fait, de petits soleils. Ce ne fut que peu à peu que l'on se rendit compte que les machines météos provoquaient des remaniements architectoniques au sein de l'écorce terrestre. Contrairement aux transformations climatiques, ceux-ci étaient irréversibles.

Pendant toute une période, de furieuses tempêtes, suivies d'interminables sécheresses, balayèrent la planète. Des centaines de millions de personnes périrent. Les communications furent coupées. Poussés par la panique, les habitants fuirent en masse les continents condamnés. Le chaos triompha. La grandiose civilisation du second siècle s'effondra. Les réserves furent anéanties.

Quelques-unes des races parmi les plus puissantes de la galaxie prirent alors en main les destinées de notre planète afin de sauver ce qui restait de sa population. Elles mirent en place des pylônes à énergie afin de stabiliser les oscillations aberrantes de l'axe du globe, démantelèrent les machines météos qui n'avaient pas encore été détruites, nourrirent les affamés, vêtirent ceux qui étaient nus et nous offrirent des prêts pour la reconstruction. Pour les Terriens, ce fut le temps du Grand Bouleversement. Toutes les structures, toutes les conventions sociales étaient réduites à néant. Ayant cessé d'être nos maîtres, nous acceptâmes la charité de l'étranger, réduits à l'état de miséreux.

Comme nous étions toujours faits du même bois, nous parvînmes à opérer un certain redressement. Nous avions dilapidé notre capital et ne pouvions, par conséquent, espérer être jamais autre chose que des faillis et des traîne-savates mais nous entrâmes néanmoins dans notre troisième cycle, encore que de plus humble manière. Certaines techniques scientifiques n'étaient pas mortes. Nous en inventâmes d'autres, généralement basées sur des principes différents. Les confréries furent créées pour introduire un ordre dans la société : les Dominateurs, les Maîtres, les Marchands et *tutti quanti*. Les Souvenants se mirent en devoir de sauver ce qui pouvait l'être du naufrage du passé.

Nos dettes envers nos sauveteurs étaient énormes. Nous avions fait banqueroute et étions dans l'incapacité de les honorer. Nous espérions qu'elles nous seraient remises, qu'il y aurait un moratoire. Les négociations étaient déjà engagées pour l'obtenir quand une intervention inattendue eut lieu : les habitants de H362 proposèrent aux créanciers de la Terre de les rembourser en échange d'une renonciation pleine et entière de leurs droits au bénéfice de H362.

Ainsi fut fait.

H362 se considéra dès lors comme propriétaire légitime de notre planète en vertu du traité, proclamant ainsi à tout l'univers qu'elle se réservait d'en prendre effectivment possession à tout moment. A cette époque, en effet, H362 ne connaissait pas encore la propulsion interstellaire. Mais elle était désormais légalement détentrice de l'actif de la Terre en cessation de paiement.

Tout le monde comprit que c'était sa façon de tenir la promesse faite de « transformer la Terre elle-même en une gigantesque réserve » pour venger l'affront que lui avait jadis infligé l'expédition qui s'était soldée par l'enlèvement des ressortissants de H362.

La société du troisième cycle se constitua sur les bases qui sont toujours les siennes, fondées sur une hiérarchie rigide des confréries. La menace de H362 était prise au sérieux car notre planète échaudée ne se gaussait plus des menaces, si aléatoires qu'elles parussent, et l'on institua une confrérie de Guetteurs ayant mission de scruter le ciel dans l'éventualité d'une invasion. La confrérie des Défenseurs et toutes les autres furent créées à leur tour. Nous démontrâmes marginalement que nous avions toujours autant de perspicacité que d'imagination quand l'idée fantasque nous vint de créer également une confrérie de mutants autoreproducteurs, les Volants, parallèle à celle des Nageants dont on n'entend plus guère parler aujourd'hui, ainsi que d'autres variétés, dont une guilde d'Elfons au comportement aussi agaçant qu'imprévisible et aux caractéristiques génétiques on ne peut plus aberrantes.

Les Guetteurs guettaient, les Dominateurs dominaient, les Volants volaient. La vie continuait au fil des années en Eyrope, en Aïs, en Stralya, en Frique, dans les chapelets d'îles, seuls vestiges des continents perdus d'Usa-amrik et de Sud-amrik. Le serment de H362 sombrait dans les brumes de la mythologie mais nous restions néanmoins vigilants. Et là-bas, très loin dans le cosmos, nos ennemis gagnaient en force, ils se forgeaient une puissance par certains points comparable à celle qui avait été la nôtre au second cycle. Ils n'avaient pas oublié le jour où leurs congénères avaient été enlevés et enfermés dans nos réserves.

Ils sont venus par une nuit d'effroi. Maintenant, ils sont nos maîtres. Il ont tenu parole, ils ont pris possession de leur bien.

Voilà ce que j'appris — et bien plus encore — en fouillant les archives de la confrérie des Souvenants.

5

Le prince de Roum, pendant ce temps, abusait sans vergogne de l'hospitalité de notre coparrain, le Souvenant Elegro. J'aurais dû me rendre compte de ce qui se passait car nul, à Perris, ne connaissait comme moi le prince et ses façons d'agir, mais j'étais trop absorbé par cette exhumation du passé à laquelle je me livrais. Et pendant que j'étais plongé dans les archives protoplasmiques du second cycle, les nodules de restitution, leurs souffleries de vents temporels et leurs fixateurs de flux photoniques, le prince Enric séduisait la Souvenante Olmayne.

Ainsi qu'il en va généralement dans ce genre d'affaires, il ne rencontra guère de résistance, j'imagine. Olmayne était une femme sensuelle qui avait de l'affection pour son mari mais affichait envers lui une attitude condescendante. Elle le considérait, et ne s'en cachait pas, comme un incapable et un fat. Et Elegro, dont les grands airs compassés dissimulaient bien mal le caractère velléitaire, semblait mériter ce dédain. Il ne m'appartenait pas de porter de jugement sur le couple mais il sautait aux yeux qu'Olmayne dominait et il était tout aussi visible qu'Elegro ne la satisfaisait pas.

Et pourquoi Olmayne avait-elle accepté d'être notre garante ? Certainement pas parce qu'elle était tombée sous le charme d'un vieux Guetteur loqueteux. Elle avait sans aucun doute voulu en savoir davantage sur son compagnon, ce Pèlerin aveugle dont émanait une si singulière autorité. Oui, dès le début, elle avait été attirée par le prince Enric et, naturellement, il n'avait pas fallu pousser beaucoup ce dernier pour qu'il accepte le présent qui lui était ainsi offert.

Peut-être étaient-ils devenus amants presque aussitôt après notre arrivée à la maison des Souvenants.

Je vaquais à mes affaires. Elegro aux siennes, Olmayne et le prince Enric aux leurs. L'automne succéda à l'été et l'hiver à l'automne. Je passais les archives au crible avec une impatience fébrile. Je n'avais jamais été aussi fasciné par quoi que ce soit, je n'avais jamais éprouvé une curiosité aussi passionnée. J'avais l'impression d'avoir rajeuni sans avoir eu besoin de me rendre à Jorslem. Je ne voyais le prince qu'à de rares intervalles et quand nous nous rencontrions, nous ne parlions généralement pas. Ce n'était pas à moi de lui demander comment il occupait ses loisirs et il n'avait nulle envie de me rendre des comptes.

Je songeais parfois à mon ancienne existence, à mes pérégrinations, à Avluela la Volante qui, supposais-je, était à présent la concubine d'un de nos vainqueurs. Quel nom portait le faux Elfon Gormon maintenant qu'il avait laissé tomber le masque et avoué être un ressortissant de H362? Earthking Neuf? Oceanlord Cinq? Overman Trois? Où qu'il se trouvât, il était sans doute satisfait de la défaite totale de la Terre.

L'hiver approchait de sa fin quand j'appris la liaison de la Souvenante Olmayne et d'Enric, prince de Roum. D'abord, je surpris des commérages dans le quartier des apprentis. Puis je remarquai les sourires des Souvenants quand elle se montrait en compagnie de son mari. Finalement, j'observai le prince et Olmayne lorsqu'ils étaient ensemble. C'était patent. Ces frôlements de mains, ces échanges de répliques furtives et de phrases à double sens ne laissaient pas de place au doute.

Pour les Souvenants, les vœux conjugaux sont un engagement solennel. Comme chez les Volants, le couple est uni pour la vie et l'adultère est hors de question. L'union est d'autant plus sacrée lorsque les conjoints sont deux Souvenants — c'est là une coutume de la confrérie mais elle n'est pas universelle.

Comment Elegro allait-il se venger le jour où il apprendrait son infortune?

Le hasard voulut que je fusse présent lorsque le conflit éclata, un soir au début du printemps. J'avais longuement et durement travaillé dans les profondeurs des silos à souvenirs, collectant des informations auxquelles personne n'avait touché depuis qu'elles y avaient été emmagasinées. La tête débordante de visions chaotiques, j'avais marché à travers les rues illuminées du Perris nocturne afin de respirer un peu d'air frais. Un rabatteur des Somnambules m'avait abordé sur les berges de la Senn, me proposant de me faire entrer moyennant finances dans l'univers des rêves. J'avais rencontré devant un temple de la chair un Pèlerin solitaire qui faisait ses dévotions. J'avais suivi des yeux le vol de deux jeunes Volants et versé une ou deux larmes en m'apitoyant sur moi-même. J'avais été arrêté par un touriste d'outre-espace (masque respiratoire et costume serti de pierreries) qui, approchant du mien un visage rouge et crevassé, m'avait soufflé des hallucinations dans le nez. Enfin, j'avais regagné la maison des Souvenants et m'étais rendu chez mes parrains pour leur présenter mes respects avant de me retirer.

Olmayne et Elegro étaient dans leur appartement. Le prince Enric également. D'un bref geste du doigt, la Souvenante me fit signe d'entrer mais ne me prêta pas davantage attention. Les autres non plus. Elegro, l'air tendu, tournait comme une bête en cage dans la pièce, frappant si brutalement le sol du talon que les délicates bioformes du tapis plissaient et déplissaient leurs pétales avec affolement.

— Un Pèlerin ! tonna-t-il. Si cela avait été une canaille de Vendeur, j'aurais seulement été humilié. Mais un Pèlerin ! C'est monstrueux !

Le prince Enric était debout, les bras croisés, impassible. Il était impossible de deviner son expression sous son masque de Pèlerinage, mais il semblait être d'un calme marmoréen.

— Vas-tu nier, reprit Elegro, vas-tu nier avoir porté atteinte aux nœuds sacrés du mariage ?

— Je ne nie rien. Et je n'affirme rien.

Elegro se tourna vers son épouse :

— Et toi ? Dis la vérité, Olmayne ! Pour une fois, dis la vérité ! Que dois-je croire des histoires qu'on raconte à propos de toi et de ce Pèlerin ?

— Je n'ai rien entendu, répondit-elle avec aménité.

— Il paraît qu'il partage ta couche ! Que vous buvez des philtres et faites des voyages d'extase ensemble !

Le sourire d'Olmayne ne vacilla pas. Sa physionomie était sereine. Je la trouvai plus belle que jamais.

Elegro, à la torture, tiraillait les franges de son écharpe. La fureur et l'exaspération assombrissaient son masque revêche et barbu. Il sortit de sous sa tunique une minuscule et brillante capsule de vision qu'il brandit en direction des deux coupables.

— Pourquoi gaspiller de la salive ? Tout est là-dedans, le flux photonique est entièrement enregistré. On vous surveillait. Pensiez-vous donc que l'on pouvait cacher quelque chose ici, au siège même de la Souvenance ? Comment as-tu pu le croire, toi, Olmayne, qui es une Souvenante ?

Elle contempla la capsule sur la paume ouverte de son mari comme si c'était une bombe à implosion et laissa tomber avec dégoût :

— Cela t'a-t-il plu de nous espionner, Elegro ? Nous épier dans notre joie t'a-t-il procuré un grand plaisir ?

— Chienne ! hurla-t-il.

Rempochant la capsule, il marcha sur le prince, toujours impavide. Une vertueuse colère déformait ses traits. S'arrêtant à deux pas d'Enric, il déclara sur un ton glacial :

— Cet acte d'impiété sera puni comme il convient. On t'arrachera ta robe de Pèlerin et tu subiras le sort réservé aux monstres. La Volonté consumera ton âme !

— Tiens ta langue ! répliqua la prince.

— Comment ? Mais qui donc es-tu pour employer ce ton ? Un Pèlerin qui convoite l'épouse de son hôte, qui viole doublement le caractère sacré de son état, un menteur et un faux dévot !

Plus rien ne restait de sa froideur première : il écumait. Habité d'une frénésie qui rendait presque ses propos incohérents, il trahissait sa faiblesse intérieure en perdant ainsi toute maîtrise de soi. Nous étions tous trois pétrifiés, abasourdis par la violence de ce torrent verbal mais le charme se brisa quand, emporté par le courroux, le Souvenant prit le prince par les épaules et se mit à le secouer brutalement.

— Bas les pattes, racaille ! vociféra Enric qui le repoussa des deux poings, le propulsant à l'autre bout de la pièce.

Elegro heurta un berceau volant. Trois récipients remplis de liquides brasillants s'entrechoquèrent et répandirent leur contenu sur le tapis qui émit un cri de protestation et de douleur. Elegro, étourdi, hoquetant, porta une main à sa poitrine et nous regarda, implorant notre assistance.

— Voies de fait..., balbutia-t-il d'une voix entrecoupée. C'est un crime abominable!

— C'est toi qui as porté la main sur lui le premier, dit Olmayne.

Braquant sur le prince un index tremblant, Elegro murmura :

— Pour cela, il n'y aura pas de pardon, Pèlerin!

— Ne m'appelle plus ainsi.

Enric agrippa le grillage de son masque. Olmayne poussa un cri pour essayer de l'arrêter mais rien ne pouvait contenir la colère du prince. Il arracha le masque qui tomba à terre, révélant son visage dur, ses traits cruels et acérés de faucon, les grises sphères mécaniques logées dans ses orbites et qui dissimulaient l'intensité de sa fureur.

— Je suis le prince de Roum, gronda-t-il. A terre et rampe! A terre et rampe! Vite, Souvenant! Les trois prosternations et les cinq mortifications!

On eût dit qu'Elegro s'effritait. Il dévisagea le prince avec incrédulité puis s'affaissa et avec une sorte d'étonnement machinal accomplit le rite d'obéissance devant l'homme qui avait séduit sa femme.

C'était la première fois que le prince révélait son rang depuis que Roum était tombée et la joie qu'il en éprouvait éclairait à tel point son visage mutilé que ses yeux vides eux-mêmes paraissaient briller de fierté régalienne.

— Dehors! ordonna-t-il. Laisse-nous.

Elegro déguerpit.

Je demeurai là, hébété et tremblant sur mes jambes. Il m'adressa un courtois signe de tête.

— Si tu veux bien nous excuser, mon vieil ami, nous te serions reconnaissants de nous laisser seuls un moment.

6

Une attaque surprise met le faible en déroute mais, après, il cogite et rumine des plans. Ce fut ce qui se passa avec le Souvenant Elegro.

Hors de la présence terrifiante du prince qui s'était démasqué et l'avait chassé de chez lui, il recouvra son calme et sa cautèle. Un peu plus tard, alors que je débattais avec moi-même pour savoir si je ne devais pas prendre quelque drogue pour dormir, il me fit appeler.

Je le retrouvai dans sa cellule d'étude au niveau inférieur de l'édifice au milieu de tout l'arsenal de la confrérie : bobines et bandes d'enregistrement, lamelles de données, capsules, bonnets à pensées. Il y avait un quarteron de crânes montés en série, une brochette d'écrans terminaux, une petite hélice ornementale — bref, tous les symboles propres aux collecteurs d'informations étaient réunis au grand complet. Il étreignait un de ces cristaux absorbeurs de tension importés d'une des planètes de la Nuée, dont la teinte laiteuse vira rapidement au sépia à mesure qu'il s'imbibait des angoisses habitant l'esprit du Souvenant.

Elegro me dévisagea d'un air d'autorité faussement sévère comme s'il avait oublié que j'avais été témoin de sa lâcheté.

— Connaissais-tu l'identité de cet homme quand tu l'as conduit à Perris ? me demanda-t-il.

— Oui.

— Tu n'as rien dit.

— On ne m'a rien demandé.

— Sais-tu à quels risques tu nous as tous exposés en nous faisant accorder asile à notre insu à un Dominateur ?

— Nous sommes des Terriens. Ne reconnaissons-nous pas toujours l'autorité des Dominateurs ?

— Plus maintenant. Toutes les autorités d'avant la conquête

ont été abrogées par décret des envahisseurs et les anciens dirigeants sont sous le coup d'une arrestation.

— Ne devrions-nous pas refuser de nous plier à de tels ordres ?

Elegro me décocha un regard énigmatique :

— Appartient-il aux Souvenants de se mêler de politique ? Nous devons obéissance aux autorités en place, Tomis, quelles qu'elles soient et quelles que soient les circonstances qui les ont amenées à exercer le pouvoir. Ici, ce n'est pas un foyer de résistance.

— Je vois.

— En conséquent, il faut nous débarrasser sur-le-champ de ce dangereux fugitif. Voici mes instructions, Tomis : tu vas te rendre immédiatement au quartier général des forces d'occupation pour faire savoir à Manrule Sept que nous avons capturé le prince de Roum et le tenons à sa disposition.

— Moi ! m'exclamai-je. Pourquoi charger un vieillard de cette commission en pleine nuit ? Un vulgaire bonnet à pensées suffit.

— Trop aléatoire. Des étrangers pourraient intercepter la communication et si la nouvelle s'ébruitait, cela porterait préjudice à la confrérie.

— Mais on pourrait s'étonner qu'on ait choisi comme messager un obscur apprenti.

— Nous sommes, toi et moi, les seuls à être au courant. Il n'est pas question que j'y aille. Donc, c'est à toi de voir le procurateur.

— Sans une recommandation, je ne serai pas autorisé à le voir.

— Tu n'auras qu'à dire à ses aides de camp que tu possèdes des renseignements permettant l'arrestation du prince de Roum. On t'écoutera.

— Dois-je citer votre nom ?

— Si nécessaire. Tu pourras dire que je garde le prince prisonnier dans mes appartements avec la coopération de ma femme.

Je faillis éclater de rire mais parvins à conserver un visage de bois devant ce couard qui n'osait même pas dénoncer lui-même l'homme qui l'avait cocufié.

— Le prince finira par comprendre la machination, objectai-je. Peux-tu légitimement me demander de trahir celui qui a été mon compagnon pendant tant de mois ?

— Il ne s'agit pas de trahison mais de notre devoir envers les autorités.

— Je ne me sens aucune obligation à leur endroit. Je suis fidèle à la confrérie des Dominateurs. C'est la raison pour laquelle j'ai donné assistance au prince de Roum en péril.

— Les conquérants pourraient fort bien t'arracher la vie pour cela. Tu n'as qu'un seul moyen d'expier ta faute : l'avouer et contribuer à la capture du prince de Roum. Va, à présent.

Jamais au cours d'une longue vie où j'avais pratiqué l'indulgence, je n'avais éprouvé autant de mépris pour quelqu'un. Mais je n'avais pas beaucoup de solutions, et aucune n'était satisfaisante.

Elegro voulait que le séducteur de sa femme soit châtié mais il n'avait pas le courage de le dénoncer lui-même : aussi me fallait-il livrer à l'occupant un homme que j'avais pris sous ma protection et dont je m'estimais responsable. Si je refusais, peut-être que le Souvenant me vendrait aux envahisseurs comme complice (puisque j'avais aidé le prince à s'enfuir) ou qu'il se vengerait en se servant de l'appareil même de la confrérie. D'un autre côté, si j'acceptai, mon honneur serait souillé à jamais et si les Dominateurs revenaient au pouvoir, j'aurais des comptes à rendre.

Tout en examinant ces diverses éventualités, je maudissais triplement l'épouse perfide et le mari sans courage.

Devant mon hésitation, Elegro eut recours à d'autres moyens de persuasion : il m'accusait d'avoir illégalement examiné des archives secrètes et d'avoir introduit un proscrit en fuite dans l'enceinte de la confrérie, il me menaça d'une interdiction à vie qui m'empêcherait d'avoir accès aux banques de données et parla de représailles à mots couverts.

Au bout du compte, je m'inclinai : entendu, j'irais au quartier général des forces d'occupation et je me plierais à sa volonté. J'avais en effet imaginé une trahison qui annulerait — c'était, du moins, mon espoir — celle qu'Elegro m'obligeait à commettre.

L'aube était proche quand je quittai le bâtiment. L'air était tiède et parfumé. Les rues de Perris scintillaient sous la nappe de brume qui les noyait. Les lunes étaient invisibles. J'avançai avec inquiétude dans les artères désertes tout en me répétant qu'il ne viendrait à personne l'idée de chercher noise à un vieux Souvenant. Mais je n'avais qu'un petit couteau pour toute arme et j'avais peur des bandits.

Je devais suivre une rampe piétonnière. Je soufflai un peu en escaladant sa pente raide mais je me sentis plus rassuré en atteignant le niveau requis car les postes de patrouille étaient fréquents et il y avait également quelques autres promeneurs attardés. Je croisai une silhouette spectrale enveloppée de satin blanc. Derrière ces voiles on distinguait un visage non humain : c'était un revenant, un habitant fantôme d'une planète de la constellation du Taureau où la réincarnation est d'usage et où personne ne circule dans son corps originel. Je croisai aussi trois femelles d'une planète du Cygne qui me demandèrent en pouffant si je n'avais pas vu de mâles de l'espèce car le temps de la conjonction était venu pour elles, puis deux Elfons qui après m'avoir toisé rêveusement jugèrent que je ne possédais rien qui méritât d'être volé et poursuivirent leur chemin, tous leurs fanons tressautant et leur épiderme éclatant lançant des éclairs comme une balise.

Enfin, j'atteignis le bâtiment octogonal et trapu où le procurateur de Perris avait élu domicile.

La garde du palais était assurée de façon désinvolte. L'envahisseur paraissait assuré que nous étions incapables de déclencher une contre-attaque et il avait probablement raison : il était assez peu vraisemblable qu'une planète qui avait succombé en l'espace d'une nuit opposerait ensuite une résistance crédible au vainqueur. La lueur pâle d'un écran de détection entourait l'édifice et une âcre odeur d'ozone flottait dans l'air. De l'autre côté de la vaste esplanade, des Marchands préparaient leurs étals. Des Serviteurs aux muscles noueux déchargeaient des tonneaux d'épices, des colonnes de neutres apportaient des chapelets de saucisses noires.

Un envahisseur vint à ma rencontre quand je franchis l'écran de détection. Je lui expliquai que j'apportais des nouvelles urgentes au procurateur et quelques instants plus tard, presque sans palabres (j'en fus stupéfait), on m'introduisit auprès de lui.

Son bureau était meublé avec simplicité mais aussi avec bon goût. Il n'y avait que des objets de fabrication terrienne : une tenture fricaine, deux vases d'albâtre de l'ancienne Ogypte, une statuette datant peut-être des premiers jours de Roum et une potiche talyenne, noire, où mouraient quelques fleurs flétries.

Quand j'entrai, Marule Sept était penché sur des cubes à messages. Sachant que les envahisseurs travaillaient surtout la nuit, je ne fus pas autrement surpris de le voir ainsi occupé.

Au bout d'un moment, il leva la tête :

— De quoi s'agit-il, vieil homme? Qu'est-ce que c'est que cette histoire de Dominateur en fuite?

— C'est le prince de Roum. Je sais où il est.

Une lueur d'intérêt s'alluma aussitôt dans ses prunelles. Il fit courir ses bouquets de doigts le long du bureau sur lequel étaient disposés les emblèmes de quelques-unes de nos confréries — les Transporteurs, les Souvenants, les Défenseurs et les Clowns, entre autres.

— Continue.

— Le prince se trouve dans un endroit bien précis de la cité d'où il ne peut s'échapper.

— Et tu es venu pour m'indiquer sa cachette?

— Non. Je suis venu pour acheter sa liberté.

Ma réponse le laissa perplexe.

— Les humains me déroutent parfois. Tu prétends avoir capturé ce Dominateur évadé et je présume que tu veux nous le vendre. Mais tu dis que tu veux l'acheter! Pourquoi t'être donné la peine de venir me trouver? C'est une plaisanterie?

— Si vous me permettez de vous expliquer...

Et tandis que, taciturne, il fixait le plateau de son bureau aussi poli qu'un miroir, je lui relatai succinctement comment j'avais quitté Roum avec le prince aveugle, comment nous étions arrivés chez les Souvenants, comment Enric avait séduit Olmayne et suscité la mesquine vindicte d'Elegro. J'insistai sur le fait que je n'avais agi que sous la contrainte et n'avais pas l'intention de livrer le prince aux envahisseurs. Et je conclus par ces mots :

— Je sais, vous avez prononcé la déchéance de tous les Dominateurs. Mais celui-là a déjà payé cher sa liberté. Je vous demande de signifier aux Souvenants qu'il bénéficie d'une amnistie et que vous l'autorisez à se rendre à Jorslem en tant que Pèlerin.

— Et que nous offres-tu en échange de son amnistie?

— J'ai effectué des recherches dans les silos à mémoire des Souvenants.

— Et alors?

— J'ai trouvé ce que vous cherchez.

Il me scruta avec attention.

— Comment saurais-tu ce que nous cherchons?

— Ce qui vous intéresse est quelque part dans les profondeurs de la maison des Souvenants, répondis-je calmement. Un enregistrement visuel de la réserve où vivaient vos ancêtres captifs des Terriens après le rapt. Il montre leurs souffrances de façon poignante. Et il justifie pleinement la conquête de la Terre.

— C'est impossible! Il n'existe pas de documents pareils!

La vivacité de la réaction de mon interlocuteur me fit comprendre que j'avais fait mouche. Il était touché au point sensible.

— Nous avons minutieusement passé les archives en revue, poursuivit-il. Il n'y a qu'un seul document ayant trait aux réserves et il ne s'agit pas de nos ancêtres mais d'une race non humaine de structure pyramidale, probablement originaire d'un des mondes de l'Ancre.

— Je l'ai vu. Il y en a d'autres. J'ai consacré d'innombrables heures à retrouver leurs traces, animé que j'étais par le désir de connaître les iniquités dont nous nous sommes rendus coupables dans le passé.

— Les cotes...

— ... sont parfois incomplètes. J'ai mis la main sur ce document par le plus grand des hasards. Les Souvenants eux-mêmes ignorent totalement où il est. Je vous indiquerai où il se trouve si vous acceptez de laisser le prince Roum partir sain et sauf.

Après un long silence, le procurateur murmura :

— Tu m'intrigues. Es-tu une canaille ou un homme d'une vertu cardinale ? Je suis incapable de me prononcer.

— Je sais où est la vraie fidélité.

— Mais en trahissant les secrets de ta confrérie...

— Je ne suis pas un Souvenant, juste un apprenti. Autrefois, j'étais Guetteur. Je ne voudrais pas que vous fassiez tort au prince parce que tel est le caprice d'un niais et d'un cocu. Le prince est entre ses mains. Vous seul pouvez désormais le délivrer. C'est pourquoi je suis bien obligé de vous proposer le document en question.

— Que les Souvenants ont pris le soin de faire disparaître des cotes pour que nous ne le trouvions pas.

— Que les Souvenants ont mal classé par négligence et qu'ils ont oublié.

— J'en doute. Ce ne sont pas des gens insouciants. Ils ont caché cet enregistrement. En nous le remettant, est-ce que tu ne trahis pas ton monde ? N'est-ce pas de la collaboration avec un ennemi détesté ?

Je haussai les épaules.

— La seule chose qui compte pour moi est que le prince de Roum recouvre la liberté. Les autres moyens et les autres fins ne m'intéressent pas. Accordez-lui l'amnistie et vous saurez où se trouve le document.

L'envahisseur eut l'équivalent d'un sourire.

— Permettre aux membres de la ci-devant confrérie des Dominateurs de conserver la liberté n'est pas conforme à nos intérêts bien compris. Ne te rends-tu pas compte de la précarité de ta position ? Je pourrais t'arracher ce renseignement par la force sans relâcher le prince pour autant.

— C'est vrai mais j'accepte le risque. Je présume qu'un peuple qui est venu tirer vengeance d'un crime ancien possède un certain sens de l'honneur. Je suis en votre pouvoir et je sais où est le document. Vous êtes en mesure de vous l'approprier.

Cette fois, il s'esclaffa et sa bonne humeur était indéniablement sincère.

— Attends un instant.

Il dit quelques mots dans sa langue devant un instrument d'ambre et un moment plus tard un de ses congénères entra. Je le reconnus immédiatement bien qu'il se fût débarrassé du flamboyant camouflage dont il était paré quand il voyageait avec moi sous l'identité de Gormon le prétendu Elfon.

— Je te salue, Guetteur, fit-il en m'adressant le sourire ambigu propre à ceux de sa race.

— Je te salue aussi, Gormon.

— A présent, je m'appelle Victorious Treize.

— Et moi Tomis des Souvenants.

— Quand donc êtes-vous devenus des amis aussi intimes, tous les deux? s'enquit Manrule Sept.

— A l'époque de la conquête, répondit Victorious Treize. Quand j'étais en mission d'éclaireur, j'ai fait la connaissance de cet homme en Tayla et nous avons fait route ensemble jusqu'à Roum. Mais, en vérité, nous étions des compagnons de voyage, pas des amis.

— Où est Avluela la Volante? demandai-je en tremblant.

— En Parse, je crois, répliqua-t-il sur un ton dégagé. Elle avait l'intention de retourner en Hind, la patrie de ses frères.

— Ton amour a donc eu la vie brève?

— Nous étions plus des compagnons que des amants. Cela n'a été qu'une amourette.

— Pour toi, peut-être.

— Pour tous les deux.

— Et tu as crevé les yeux d'un homme pour une passade?

L'ex-Gormon eut un haussement d'épaules.

— J'ai tenu à apprendre à un orgueilleux ce qu'est l'orgueil.

— Tu prétendais alors avoir agi par jalousie, lui rappelai-je. Que c'était l'amour qui te poussait.

Victorious Treize parut se désintéresser de ma personne. Il se tourna vers le procurateur :

— Pourquoi cet homme est-il là? Et pourquoi m'as-tu appelé?

— Le prince de Roum est à Perris.

L'autre eut l'air manifestement surpris.

— Il est prisonnier des Souvenants, enchaîna Manrule Sept. Cet individu m'a proposé un singulier marché. Tu connais le prince de Roum mieux qu'aucun d'entre nous et je voudrais avoir ton avis.

Le procurateur lui exposa la situation dans ses grandes lignes. Celui qui avait été Gormon écouta avec attention sans ouvrir la bouche. « Le problème se pose en ces termes, conclut le premier : allons-nous accorder l'amnistie à un Dominateur proscrit ? »

— Il est aveugle, répondit Victorious Treize. Il est dépouillé de sa puissance et ses fidèles sont dispersés. Son courage n'est peut-être pas entamé mais il ne présente aucun danger pour nous. Je suis partisan d'accepter ce marché.

— Élargir un Dominateur est un risque sur le plan administratif. Cependant, je me range à ton point de vue. D'accord pour cette transaction. (Il s'adressa à moi :) Dis-nous où se trouve le document que nous désirons.

Je répliquai d'une voix unie :

— Faites d'abord libérer le prince de Roum.

Les deux envahisseurs parurent amusés.

— C'est équitable, laissa tomber le procurateur. Mais comment pouvons-nous être sûrs que tu tiendras parole ? N'importe quoi peut arriver dans l'heure qui suivra sa libération.

— J'ai une suggestion à faire, intervint Victorious Treize. Le problème est plus un problème de minutage que de méfiance mutuelle. Tomis, pourquoi n'enregistrerais-tu pas les coordonnées de la cachette de façon qu'il livre l'information six heures après que le prince de Roum lui-même, et personne d'autre que lui, en aura donné l'ordre. Si nous n'avons pas retrouvé et libéré le prince dans ce délai, le cube se détruira automatiquement. Si nous délivrons le prince, il nous donnera l'information même dans le cas où... euh... quelque chose t'arriverait entre-temps.

— Tu envisages toutes les éventualités.

— Sommes-nous d'accord ? me demanda le procurateur.

— Nous sommes d'accord.

Ils me remirent un cube et je pris place derrière un écran d'intimité à l'abri duquel j'inscrivis le numéro de la rangée et les coordonnées de l'emplacement. Au bout de quelques secondes, le cube s'invagina et le renseignement disparut dans ses profondeurs opaques. Je rendis l'objet aux envahisseurs.

Par loyauté envers un prince aveugle et suborneur, j'avais trahi mon peuple et rendu un signalé service à nos conquérants.

7

Le jour était levé. Je n'accompagnai pas les envahisseurs chez les Souvenants. Je n'avais pas à être témoin des événements troubles qui allaient suivre et je préférais être ailleurs. Une pluie fine noyait les rues grises qui longeaient la Senn obscure. Le fleuve éternel que criblaient les gouttes battait inlassablement les arches de pierre des ponts du premier cycle, traits d'union jetés sur le gouffre des millénaires sans nombre, survivants d'une ère où l'homme était le seul auteur des difficultés qu'il affrontait. Le matin envahissait la cité. Je cherchai mes instruments — vieux réflexe indéracinable — pour la Vigile avant de me rappeler qu'ils étaient bien loin, maintenant. Les Guetteurs étaient démobilisés, l'envahisseur campait chez nous et le vieux Wuellig, à présent Tomis des Souvenants, s'était vendu aux ennemis de l'humanité.

Je me laissai attirer dans une baraque de Somnambule tapie à l'ombre d'un édifice religieux des anciens christiens surmonté de deux flèches jumelles. C'est une confrérie avec laquelle j'ai rarement affaire. A ma manière, je me méfie des charlatans — et, de nos jours, les charlatans sont légion. Les Somnambules prétendent que, lorsqu'ils sont en état de transe, ils voient ce qui a été, ce qui est et ce qui sera. Les transes ne sont pas pour moi chose inconnue car, du temps que j'étais Guetteur, j'entrais en transe quatre fois par jour. Mais un Guetteur qui a la fierté de sa fonction n'a forcément que du mépris pour la morale de pacotille de ceux qui, comme les Somnambules, tirent bénéfice de la seconde vue.

Cependant, j'avais eu la surprise d'apprendre de la bouche de mes hôtes que les Souvenants consultaient fréquemment les Somnambules pour les aider à exhumer des sites de l'Antiquité et que c'étaient de bons auxiliaires. Aussi, malgré mon scepticisme, j'étais tout disposé à parfaire mon savoir. En outre, j'avais besoin d'un refuge pour m'abriter de la tempête qui, pour le moment, déferlait sur la maison de la Souvenance.

Un personnage en robe noire, minaudier et maniéré, m'accueillit d'une révérence narquoise quand je pénétrai dans la baraque basse de plafond.

— Je suis Samit des Somnambules, se présenta-t-il d'une voix dolente et suraiguë. Je te souhaite bienvenue et bonnes nouvelles. Voici ma compagne, la Somnambule Murta.

La Somnambule Murta était une robuste gaillarde en robe de dentelle. Elle avait le visage bouffi, d'épais cernes noirs autour des yeux et sa lèvre supérieure était soulignée d'une ombre de moustache. Les Somnambules travaillent en équipe, l'un attire le chaland et l'autre exerce. En général, et c'était précisément le cas ici, ce sont le mari et la femme. Mon imagination se rebellait à l'idée de l'étreinte de la montagne de chair qu'était Murta et de la miniature qu'était son époux mais ce n'était pas mon affaire. Je pris le siège que Samit m'indiquait. Des tablettes nutritives diversement colorées étaient posées sur une table : j'avais interrompu le petit déjeuner. Murta, en transe profonde, allait et venait pesamment dans la pièce, frôlant de temps en temps un meuble ou un autre. Certains Somnambules, dit-on, ne se réveillent que deux ou trois heures sur vingt-quatre, uniquement pour s'alimenter et satisfaire aux nécessités de la nature. Il y en a même qui vivent ostensiblement en état de transe permanente. Ce sont des acolytes qui les nourrissent et prennent soin d'eux.

J'écoutai d'une oreille distraite Samit me débiter son boniment professionnel, me bombardant fébrilement de formules rituelles prononcées d'une voix rapide et hachée. C'était un discours à l'usage des gogos. La clientèle des Somnambules se recrute presque exclusivement chez les Serviteurs, les Clowns et autres membres des confréries serviles. Enfin, devinant mon impatience, il cessa de vanter les capacités de la Somnambule Murta et me demanda ce que je désirais connaître.

— La Somnambule doit sûrement déjà le savoir, lui répondis-je.

— Tu souhaites une analyse générale ?

— Je veux connaître le sort de ceux qui m'entourent. Et je voudrais que la Somnambule se concentre tout particulièrement sur les événements dont la maison des Souvenants est actuellement le théâtre.

De ses ongles effilés, Samit tapota sur la table et décocha un regard menaçant à la bovine Murta.

— Es-tu en contact avec la vérité ?

En guise de réponse, elle exhala un long soupir tremblé venu des profondeurs de ses masses de chair gélatineuses.

— Qu'est-ce que tu vois ?

Elle commença à marmonner d'une voix pâteuse. Les Somnambules ont un langage inconnu du reste de l'humanité, un idiome rugueux aux sonorités rocailleuses que certains affirment dérivé de la langue de l'ancienne Ogypte. Je n'ai pas d'opinion. Pour moi, c'était incohérent, fragmentaire et il me paraissait impossible que ces vocables eussent un sens. Quand Murta se tut, Samit hocha la tête d'un air satisfait et me tendit sa main ouverte.

— Il se passe beaucoup de choses.

Nous discutâmes du prix à payer et après quelques marchandages nous nous mîmes d'accord.

— Maintenant, interprète sa réponse.

— Des non-Terrestres sont dans le coup, commença-t-il avec circonspection. Et plusieurs membres de la confrérie des Souvenants.

Comme je gardais le silence sans lui donner de signe d'encouragement, il poursuivit :

— Une âpre querelle les oppose. Un homme sans yeux est le nœud de l'affaire.

Je sursautai et Samit eut un froid sourire de triomphe.

— L'homme sans yeux est déchu de sa grandeur. Il est... dirai-je, la Terre écrasée par les conquérants ? La fin de ses jours est proche. Il cherche à recouvrer sa gloire passée tout en sachant que c'est impossible. A cause de lui, une Souvenante a violé son serment. Plusieurs conquérants se sont rendus au siège de leur confrérie pour... pour le châtier ? Non. Non. Pour le délivrer. Je continue ?

— Vite !

— Tu as reçu tout ce pour quoi tu as payé.

Je lui décochai un regard venimeux. C'était du chantage ! Mais la Somnambule avait incontestablement vu la vérité. Je n'avais rien appris que je ne susse déjà mais c'était suffisant pour que je voulusse en apprendre davantage. Je payai donc un supplément.

Samit serra les pièces dans son poing et conféra derechef avec Murta. Celle-ci parla longtemps en proie à une certaine agitation. Elle pivota sur elle-même à plusieurs reprises et heurta brutalement un divan qui sentait le moisi.

— L'homme sans yeux, traduisit Samit, a fait irruption entre un mari et sa femme. Le mari outragé veut qu'il soit puni. Les extra-terrestres feront en sorte qu'il n'en soit rien. Ils sont en quête de vérités secrètes. Ils les trouveront grâce à un traître. L'homme sans yeux est à la recherche de la liberté et de la puissance. Il trouvera la paix. La femme adultère cherche à s'amuser. Elle souffrira.

Je rompis le silence obstiné — et onéreux — qui avait suivi ces révélations. :

— Et moi ? Tu n'as rien dit de moi !

— Tu quitteras sous peu Perris comme tu y es venu. Tu ne partiras pas seul. Et, quand tu prendras la route, tu n'appartiendras plus à ton actuelle confrérie.

— Quelle sera ma destination ?

— Tu le sais aussi bien que nous. Alors, pourquoi gaspiller de l'argent en exigeant cette précision ?

A nouveau, il se tut.

— Dis-moi ce qui m'adviendra sur la route de Jorslem.

— Cette information te reviendrait trop cher. L'avenir est hors de prix par les temps qui courent. Je te conseille de te contenter de ce que tu sais désormais.

— Je voudrais que tu m'explicites un certain nombre de choses que tu m'as dites.

— Nous n'explicitons pas, quelle que soit la somme offerte.

Il sourit. Avec un mépris virulent. La Somnambule Murta continuait de tourner en rond en grognant et en éructant. Les puissances avec lesquelles elle était en contact durent l'éclairer sur quelque chose car elle poussa un gémissement, frissonna et émit un borborygme. Samit lui parla dans leur langage à eux. Elle lui répondit — cela dura un bon moment. Enfin, le mari me dévisagea.

— Un dernier renseignement gratuit. Ta vie n'est pas en danger mais ton âme est en péril. Tu aurais intérêt à te mettre en paix avec la Volonté le plus rapidement possible. Reconquiers ton orientation morale. Rappelle-toi tes vraies loyautés. Expie les péchés commis avec de bonnes intentions. Je ne peux rien te dire de plus.

Effectivement, Murta s'étirait et paraissait sortir de sa transe. Ses bajoues tressautaient et des convulsions l'agitaient. Ses paupières se soulevèrent mais on ne voyait que le blanc de ses yeux — et c'était quelque chose d'horrible. Ses grosses lèvres se crispaient, révélant des dents cariées. Tamis me fit signe de déguerpir en faisant voleter ses mains fluettes et je sortis dans la grisaille du matin sous la pluie battante.

Je me hâtai de regagner la maison des Souvenants où j'arrivai hors d'haleine avec un point de côté qui me lancinait comme un fer rouge. J'attendis quelques instants dans la rue pour recouvrer mon souffle. Des flotteurs quittant le superbe édifice passèrent au-dessus de moi. Mon courage faillit m'abandonner mais, finalement, j'entrai et montai à l'étage de l'appartement d'Elegro et d'Olmayne.

Le corridor était rempli de Souvenants en proie à une vive agitation. Je fendis la cohue bourdonnante. Soudain, un homme que j'avais vu dans la salle du conseil de la confrérie me barra le passage :

— Que viens-tu faire ici, apprenti ?

— Je suis Tomis, le filleul de la Souvenante Olmayne. Je rentre. Ma chambre est à côté.

Une voix me héla :

— Tomis !

Quelqu'un me prit à bras-le-corps et me poussa dans l'appartement qui ressemblait maintenant à un lieu de carnage.

Une douzaine de Souvenants faisaient le pied de grue en tripotant leur écharpe avec affliction. Je reconnus le chancelier Kenishal, pomponné et tiré à quatre épingles. Le désespoir voilait ses yeux gris. Un Pèlerin gisait sous une couverture à côté de la porte : le prince de Roum. Il était mort et nageait dans son sang; son masque, à présent terni, se trouvait un peu plus loin. A l'autre bout de la pièce, affalé contre une crédence ornementée, garnie d'objets du second cycle de toute beauté, le Souvenant Elegro semblait dormir, l'air à la fois furieux et étonné. Une mince flèche était fichée dans sa gorge. Au fond, hagarde et échevelée, se tenait la Souvenante Olmayne, flanquée de Souvenants musclés. Le corsage déchiré de sa robe écarlate révélait ses seins blancs haut dressés. Sa noire chevelure tombait en désordre et la sueur perlait sur son épiderme satiné. On eût dit qu'elle était plongée dans un rêve, très loin d'ici.

— Qu'est-il arrivé ? m'écriai-je.

— Deux meurtres, répondit le chancelier Kenishal d'une voix brisée.

Il s'approcha de moi. Un tic faisait palpiter sa paupière.

— Quand as-tu vu ces deux personnes vivantes pour la dernière fois, apprenti ?

— Hier soir.

— Pourquoi étais-tu venu ?

— C'était une simple visite, rien de plus.

— Se sont-ils disputés ?

— Oui, le Souvenant Elegro s'est querellé avec le Pèlerin, reconnus-je.

— A quel sujet ? s'enquit le grand vieillard aux cheveux de neige.

Gêné, je me tournai vers Olmayne mais elle ne voyait rien, n'entendait rien.

— A cause d'elle.

Les autres Souvenants ricanèrent et se poussèrent du coude : j'avais confirmé la réalité du scandale.

Le chancelier se fit encore plus solennel et désigna le cadavre du prince.

— Tu es arrivé à Perris avec lui. Connaissais-tu sa véritable identité ?

Je m'humectai les lèvres.

— J'avais des doutes.

— Tu le suspectais d'être...

— Le prince de Roum en fuite.

Ce n'était pas le moment d'essayer de jouer au plus fin : j'étais dans une situation délicate.

D'autres dodelinements entendus, d'autres coups de coude. Le chancelier Kineshal reprit :

— Cet homme était décrété d'arrestation. Ton rôle n'était pas de dissimuler la connaissance que tu avais de son identité.

Comme je demeurais muet, il enchaîna :

— Tu as disparu de la maison mère depuis plusieurs heures. Explique-nous ce que tu as fait après avoir quitté l'appartement d'Elegro et d'Olmayne.

— Je suis allé voir le procurateur.

Ma réponse fit sensation.

— Dans quel but ?

— Pour lui faire savoir que le prince de Roum avait été appréhendé et qu'il se trouvait chez un Souvenant. C'est sur l'ordre du Souvenant Elegro que j'ai agi ainsi. Après avoir rempli ma mission, j'ai erré longtemps dans les rues et je suis entré pour trouver... pour trouver...

— Le chaos. Le procurateur est venu à l'aube. Il s'est rendu dans cet appartement. Elegro et le prince devaient être encore en vie. Puis il a visité nos archives et s'est emparé... s'est emparé... d'un document important... un document de la plus haute importance... il s'est emparé... un document auquel on ne croyait pas que l'on pouvait avoir accès... de la plus haute importance...

Le chancelier ne put aller plus loin. Comme une machine soudain atteinte par la rouille, ses gestes se firent plus lents, il émit des sons grinçants comme s'il allait s'effondrer dans les secondes à venir. Des Souvenants haut placés dans la hiérarchie se précipitèrent à la rescousse. L'un d'eux lui fit une piqûre au bras. Peu à peu, le chancelier récupéra.

— Ces meurtres, dit-il, ont été commis après le départ du procurateur. La Souvenante Olmayne n'a pas été capable de nous fournir d'éclaircissements. Peut-être sais-tu quelque chose d'intéressant, apprenti ?

— Je n'étais pas présent. Deux Somnambules installés près de la Senn pourront témoigner que j'étais en leur compagnie à l'heure où ces crimes ont été perpétrés.

Quelqu'un pouffa en m'entendant mentionner les Somnambules. Cela m'était égal. Ce n'était pas le moment de me draper dans ma dignité perdue : j'étais en danger.

— Regagne ta chambre, apprenti, et restes-y en attendant qu'on t'interroge à fond, dit le chancelier d'une voix lente. Après, tu quitteras cette maison et Perris dans un délai de vingt heures. En vertu des pouvoirs qui me sont conférés, je prononce ton expulsion de la confrérie des Souvenants.

Bien que Samit l'eût prédit, je fus estomaqué.

— Je suis expulsé ? Mais pourquoi ?

— Nous ne pouvons plus avoir confiance en toi. Trop de mystères t'entourent. Tu as conduit le prince ici et tu n'as rien dit de tes soupçons. Tu as assisté à une querelle qui s'est soldée par un double assassinat. Tu as rendu visite au procurateur en pleine nuit. Peut-être es-tu aussi responsable de la perte catastrophique que constitue la saisie de ce document d'archives. Nous ne souhaitons pas avoir dans nos rangs des fauteurs d'énigmes. Aussi tranchons-nous tous rapports avec toi. (Il fit un grand geste du bras.) Rentre chez toi pour attendre d'être interrogé. Ensuite, va-t'en !

On me fit sortir sans ménagements. Au moment où la porte

se refermait, je me retournai juste à temps pour voir le chancelier, le teint cireux, s'écrouler dans les bras de ses acolytes. Au même instant, la Souvenante Olmayne émergea de la transe qui la pétrifiait et s'effondra en poussant des hurlements.

8

Dans la solitude de ma chambre, je consacrai un long moment à rassembler mes biens, encore qu'ils fussent peu nombreux. La matinée était déjà fort avancée quand un Souvenant que je ne connaissais pas entra. Je contemplai avec appréhension le matériel d'interrogatoire qu'il apportait. Si jamais les Souvenants avaient la preuve que c'était moi qui avais révélé aux envahisseurs la cachette de l'enregistrement, mon compte était bon. Déjà, j'étais suspect. Le chancelier avait hésité à m'accuser uniquement parce qu'il avait dû lui paraître bizarre qu'un apprenti comme moi ait entrepris de se livrer à des recherches personnelles dans les archives de la confrérie.

Mais la chance était avec moi. Seules les circonstances du double meurtre intéressaient mon interrogateur et lorsqu'il eut la conviction que j'ignorais tout de l'affaire, il me laissa en me signifiant que je devrais avoir quitté le siège de la Souvenance dans les délais fixés, ce que je lui promis.

Mais il fallait d'abord que je me repose : je n'avais pas dormi de la nuit. Je bus donc une potion de sommeil d'une durée de trois heures.

Quelqu'un était là quand je me réveillai : la Souvenante Olmayne.

Elle paraissait avoir vieilli depuis la veille. Elle portait une sévère et chaste tunique de couleur sombre, sans ornements ni bijoux et ses traits étaient rigides. Dominant ma surprise, je me dressai sur mon séant en m'excusant d'une voix bredouillante de l'avoir fait attendre.

— C'est sans importance, me répondit-elle avec douceur. Ai-je interrompu ton sommeil?

— J'ai dormi mon content.

— Moi, je n'ai pas dormi mais il sera temps plus tard. Nous nous devons mutuellement des explications, Tomis.

— Oui. (Je me levai, indécis.) Es-tu remise? Tout à l'heure, tu avais l'air d'être en transe.

— On m'a administré des remèdes.

— Peux-tu me dire ce qui s'est passé cette nuit?

Ses paupières bridées se fermèrent un instant.

— Tu étais là quand Elegro nous a provoqués et que le prince l'a chassé. Il est revenu quelques heures plus tard en compagnie de quelques envahisseurs, dont le procurateur de Perris. Il semblait jubiler. Le procurateur a sorti un cube et a ordonné au prince de poser la main dessus. D'abord, le prince a refusé mais Manrule Sept a finalement réussi à le persuader. Le procurateur et Elegro sont alors partis, nous laissant à nouveau seuls, le prince et moi. Nous ne comprenions rien. Peu après, le procurateur et Elegro sont revenus. Elegro était préoccupé, bouleversé même, alors que l'autre exultait visiblement. Le procurateur a alors déclaré que l'ancien prince de Roum était amnistié et que nul ne devait porter la main sur lui. Sur ce, les envahisseurs se sont retirés.

— Continue.

Olmayne parlait comme une Somnambule.

— Elegro ne comprenait apparemment rien à ce qui s'était passé. Il criait à la félonie. Quelqu'un l'avait trahi. Il s'ensuivit une violente altercation. Il était comme une femme en colère et le prince avait une attitude de plus en plus hautaine. Chacun ordonnait à l'autre de vider les lieux. La dispute devint si furieuse que le tapis lui-même entra en agonie. Les pétales tombaient, les petites bouches suffoquaient. Le dénouement survint rapidement. Elegro s'empara d'une arme et menaça le prince de le tuer s'il ne partait pas sur-le-champ. Méconnaissant le caractère de mon mari et croyant qu'il bluffait, le prince marcha sur lui comme pour le jeter dehors. Et Elegro l'abattit. Immédiatement, je saisis un dard de la collection et lui en transperçai la gorge. Le dard était empoisonné. La mort fut instantanée. J'appelai les autres. C'est tout ce dont je me souviens.

— Quelle nuit étrange!

— Trop étrange. Tomis, dis-moi maintenant pourquoi le procurateur est venu et pourquoi il n'a pas appréhendé le prince.

— Il est venu parce que je le lui avais demandé sur l'ordre de ton défunt époux. Il n'a pas arrêté le prince parce qu'on avait acheté sa liberté.

— A quel prix?

— Au prix du déshonneur d'un homme.

— Tu parles par énigmes.

— La vérité est infamante. Je te supplie de ne pas insister davantage.

— Le chancelier a parlé d'un document saisi par le procurateur...

— C'est en rapport avec cela.

Baissant la tête, Olmayne se perdit dans la contemplation du plancher et ne me posa plus d'autres questions.

Je repris la parole :

— Tu as donc commis un assassinat. Quelle sera ta punition?

— Le crime a eu pour mobile la passion et la peur : l'administration civile ne me poursuivra pas. Mais je suis exclue de la confrérie pour cause d'adultère et de violences.

— Je te présente tous mes regrets.

— Et j'ai ordre de me rendre en Pèlerinage à Jorslem pour purifier mon âme. Je dois partir avant la fin du jour sous peine de mort.

— Moi aussi, je suis expulsé de la confrérie et je dois aller à Jorslem mais je l'ai librement décidé.

— Pourquoi ne ferions-nous pas route ensemble?

Mon hésitation me trahit. J'avais déjà voyagé avec un prince aveugle et n'avais guère envie de faire la route avec une meurtrière hors-confrérie. Le moment était peut-être venu pour moi de voyager seul. Pourtant, la Somnambule avait dit que je serais accompagné.

— Tu manques d'enthousiasme, dit Olmayne sur un ton uni. Je puis peut-être t'aider à en avoir un peu.

Elle ouvrit sa tunique. Une pochette grise était fixée entre les monts neigeux de ses seins. Mais ce n'était pas avec sa chair qu'elle cherchait à me tenter : c'était avec une ultrapoche.

— Tout ce que le prince gardait dans sa cuisse est là-dedans, fit-elle. Il m'avait montré ses trésors et je les ai pris sur son cadavre. Il y a aussi quelques objets à moi. Je ne suis pas sans ressources et nous voyagerons dans des conditions confortables. Eh bien ?

— Il m'est difficile de refuser.

— Sois prêt à partir dans deux heures.

— Je suis déjà prêt.

— Alors, attends-moi.

Elle sortit. Près de deux heures plus tard, elle revint, portant, cette fois, la robe et le masque des Pèlerins. Elle apportait à mon intention un second accoutrement de Pèlerin. Oui, j'étais un hors-confrérie, maintenant, et il est dangereux de voyager dans cet état. Soit, ce serait en Pèlerin que j'irais à Jorslem. Je revêtis le costume qui ne m'était pas familier et nous réunîmes ce que nous possédions.

— J'ai averti la confrérie des Pèlerins, me dit Olmayne une fois dans la rue. Nous sommes enregistrés. Nous pouvons espérer recevoir nos pierres d'étoile dans la journée. Comment te va ton masque, Tomis ?

— Bien. Il est douillet.

— C'est ce qu'il faut.

Notre route pour rejoindre la porte de la cité traversait la vaste esplanade que commandait l'édifice de pierres grises, lieu sacré de l'ancien culte. Il y avait là un grand concours de peuple. Je remarquai un groupe d'envahisseurs au milieu de la foule. Les mendiants qui tournaient autour ne perdaient pas leur temps. Ils nous ignoraient car on ne demande pas l'aumône à des Pèlerins mais j'agrippai au collet un pendard à la figure ravinée et lui demandai ce qu'était cette cérémonie.

— Ce sont les funérailles du prince de Roum. Des obsèques officielles avec tout le tralala par ordre du procurateur. Ils en font une vraie fête nationale.

— Pourquoi ont-elles lieu à Perris ? Comment le prince est-il mort ?

— Demande donc ça à quelqu'un d'autre. Moi, j'ai du travail.

Il se dégagea en se tortillant et se hâta de se remettre à mendier.

Je me tournai vers Olmayne :

— Est-ce que nous assistons aux funérailles ?

— Il vaut mieux pas.

— Comme tu voudras.

Nous nous dirigeâmes vers le pont imposant qui enjambait la Senn. Une éclatante lueur bleue fusa derrière nous quand on alluma le bûcher funéraire. Elle éclairait notre route tandis que nous avancions dans la nuit vers l'est, vers Jorslem.

TROISIÈME PARTIE

LA ROUTE DE JORSLEM

1

Notre monde était désormais vraiment le leur. D'un bout à l'autre d'Eyrope, je pouvais voir que les envahisseurs avaient pris possession de tout et que nous leur appartenions comme le bétail dans l'étable appartient au fermier.

Ils étaient partout telles des herbes de chair qui auraient pris racine après un étrange orage. Ils affichaient une assurance tranquille comme pour nous signifier par leur aisance que la Volonté nous avait retiré sa faveur à leur avantage. Ils n'étaient pas cruels et pourtant leur seule présence nous vidait de notre vitalité. Notre soleil, nos lunes, nos musées remplis d'antiques reliques, les ruines des cycles antérieurs, nos cités, nos palais, notre avenir, notre présent et notre passé — tout avait été dévolu à un autre propriétaire. A présent, notre existence n'avait plus de sens.

La nuit, le brasillement des étoiles nous tournait en dérision. L'univers entier était témoin de notre abaissement.

Le vent froid de l'hiver nous disait que nous avions perdu la liberté en punition de nos péchés. Le flamboiement brûlant de l'été nous disait que nous avions été humiliés pour notre orgueil.

Dépouillés de notre ancien moi, nous nous enfoncions à travers un monde transformé. Moi qui, jadis, errais chaque jour parmi les étoiles, n'y éprouvais plus de plaisir. Ma seule et maigre consolation était l'espoir que le Pèlerin que j'étais trouverait peut-être rédemption et jeunesse à Jorslem. Tous les soirs, nous récitions, Olymane et moi, le rituel du Pèlerinage :

— Nous nous soumettons à la Volonté.

— Nous nous soumettons à la Volonté.

— En toutes choses, grandes ou petites.

— En toutes choses, grandes ou petites.

— Et implorons pardon.

— Et implorons pardon.

— Pour nos péchés actuels et potentiels.

— Pour nos péchés actuels et potentiels.

— Et nous prions que nous soient accordés la compréhension et le repos.

— Et nous prions que nous soient accordés la compréhension et le repos.

— Tout au long de nos jours jusqu'à la rédemption.

— Tout au long de nos jours jusqu'à la rédemption.

Tout en prononçant les versets, nous étreignions les sphères lisses de nos pierres d'étoile aussi froides que des fleurs de givre et nous communions avec la Volonté.

Ainsi nous dirigions-nous vers Jorslem, arpentant un monde qui n'appartenait plus à l'homme.

2

Ce fut du côté talyen du Pont de Terre qu'Olmayne se montra pour la première fois cruelle envers moi. Elle était cruelle de nature — j'en avais amplement eu la preuve à Perris — mais depuis le début de notre Pèlerinage, pendant les longs mois qu'il nous avait fallu pour franchir les montagnes, traverser Talya dans toute sa longueur et atteindre le Pont, elle n'avait pas sorti ses griffes.

Ce jour-là, nous avions fait halte car un détachement d'envahisseurs remontait de Frique. Ils étaient une vingtaine : grands, les traits rudes, fiers d'être les maîtres de la Terre conquise. Ils étaient à bord d'un étincelant véhicule de leur fabrication, couvert, long et étroit, muni d'épais manchons couleur sable et percé de petites fenêtres. On voyait de loin le nuage de poussière qu'il soulevait.

C'était la saison chaude. Le ciel était, lui aussi, de la couleur du sable et des nappes de réverbération, terribles et flamboyants flux d'énergie turquoise et or, le sillonnaient. Nous étions peut-être une cinquantaine de voyageurs plantés au bord de la route, le dos tourné à Talya, face au continent fricain. Nous formions un groupe hétéroclite. Il y avait des Pèlerins comme Olmayne et moi qui se rendaient à la cité sainte de Jorslem, mais aussi tout un échantillonnage de déracinés des deux sexes qui erraient de continent en continent sans but précis. Je notai la présence de cinq anciens Guetteurs ainsi que de plusieurs Coteurs, d'une Sentinelle, de deux Communicants, d'un Scribe et même de quelques Elfons. Agglutinés en désordre, nous laissions la route aux envahisseurs.

Le Pont de Terre n'est pas large et ne permet pas qu'on y passe en grand nombre à la fois. Cependant, en temps normal, la circulation se fait toujours dans les deux sens. Mais nous avions peur de nous engager alors que les envahisseurs étaient si près et nous restions timidement serrés les uns contre les autres, les yeux fixés sur nos conquérants qui approchaient.

L'un des Elfons se détacha du groupe de ses congénères et avança vers moi. Il était de petite taille pour une créature de sa race mais avait de robustes épaules. Il donnait l'impression d'être à l'étroit dans une peau trop juste pour sa stature. Ses yeux globuleux étaient ourlés de vert. Ses cheveux poussaient en épais faisceaux largement espacés qui faisaient comme des colonnettes et son nez était presque inexistant de sorte que ses narines semblaient pointer de sa lèvre supérieure. Cependant, il était moins grotesque que la plupart des Elfons et un soupçon de bizarre gaieté paraissait émaner de lui.

Il demanda d'une voix qui n'était guère plus qu'un soupir :

— Crois-tu que nous en ayons encore pour longtemps, Pèlerin ?

Autrefois, on n'adressait pas la parole à un Pèlerin sans y être invité — surtout lorsqu'on était un Elfon. Je n'attachais, pour ma part, aucune importance à cet usage, mais Olmayne recula avec un grondement de dégoût.

— Il faut attendre que nos maîtres nous permettent de passer, répondis-je. Avons-nous le choix ?

— Non, ami, nous n'avons pas le choix.

En entendant cet « ami », Olmayne poussa un nouveau grognement et foudroya le petit Elfon du regard. Il la dévisagea. Il était en colère car, soudain, six bandes parallèles de pigments écarlates scintillèrent sous la peau lustrée de ses joues. Mais il se contenta de s'incliner courtoisement et dit :

— Je me présente. Bernalt, naturellement hors-confrérie, natif de Nayrub, en Frique profonde. Je ne vous demanderai pas vos noms, Pèlerins. Vous allez à Jorslem ?

— Oui, lui répondis-je tandis qu'Olmayne lui tournait délibérément le dos. Et toi ? Tu rentres à Nayrub au terme d'un voyage ?

— Non. Je vais aussi à Jorslem.

Instantanément, la sympathie que l'aménité de l'Elfon avait suscitée en moi s'effaça, remplacée par une réaction d'hostilité. Il m'avait été donné de voyager en compagnie d'un autre Elfon — un faux Elfon, au demeurant — qui, lui aussi, suait le charme. Une fois, cela suffisait !

— Peut-on savoir ce qu'un Elfon a à faire à Jorslem ? lui demandai-je, sec et distant.

Ma froideur ne lui échappa pas et je pus lire de la tristesse dans ses yeux saillants.

— Je te rappelle que nous avons, nous aussi, le droit de visiter la cité sainte. Même nous ! As-tu peur que les Elfons s'emparent à nouveau de l'autel de la jouvence comme ils l'ont fait il y a mille ans avant d'être interdits de confrérie ? (Il éclata d'un rire sans joie.) Je ne menace personne, Pèlerin. Peut-être suis-je hideux d'apparence mais je ne suis pas dangereux. Qu'il plaise à la Volonté de t'accorder ce que tu cherches.

Et, après un salut respectueux, il rejoignit les autres Elfons.

Olmayne virevolta pour me faire face, visiblement furieuse.

— Pourquoi parles-tu à ces créatures immondes ?

— Cet homme m'a abordé. Il était mû par des sentiments amicaux. Ici, toutes les castes sont confondues, Olmayne, et...

— Un homme! Tu appelles un Elfon un homme?

— Ils sont humains.

— A peine! Ces monstres me répugnent, Tomis. Quand ils m'approchent, j'ai la chair de poule. Si j'en avais le pouvoir, je les bannirais de la planète!

— Où donc est la sérénité et la tolérance qui doivent animer les Souvenants?

La raillerie qui perçait dans ma question la cingla.

— Nous ne sommes pas obligés d'aimer les Elfons, Tomis. Ils sont l'une des plaies qui ont fondu sur la Terre — une parodie d'humanité, les ennemis de la beauté et de la vérité. Je ne peux pas les supporter!

Elle n'était pas la seule à afficher de pareils sentiments, mais je n'eus pas le temps de lui faire honte de son étroitesse d'esprit car l'engin des envahisseurs arrivait à notre hauteur et j'espérais que nous pourrions nous remettre en marche lorsqu'il serait passé. Mais il ralentit, s'arrêta, et plusieurs de ses occupants mirent pied à terre. Sans hâte ils marchèrent vers notre groupe, leurs bras démesurés oscillant comme des cordes molles.

— Qui est le chef? s'enquit l'un d'eux.

Personne ne répondit. En effet, les voyageurs que nous étions étaient indépendants et n'avaient de comptes à rendre à aucune autorité.

— Il n'y a pas de chef? reprit l'envahisseur avec impatience après un moment. Eh bien, écoutez tous. Il faut dégager la route. Un convoi approche. Retournez à Palerm et attendez jusqu'à demain.

— Mais, commença le Scribe, je dois être en Ogypte avant...

— Le Pont de Terre est fermé pour aujourd'hui. Retournez à Palerm.

Il s'exprimait calmement. Les envahisseurs ne sont jamais ni arrogants ni impérieux. Ils ont le flegme et l'assurance qui sont le propre des propriétaires légitimes.

Le Scribe frissonna et ses mâchoires frémirent mais il n'ajouta rien. Quelques voyageurs avaient l'air d'avoir envie de protester. La Sentinelle se détourna et cracha. Un homme qui arborait fièrement sur la joue la marque de la confrérie décimée des Défenseurs serra les poings, luttant visiblement pour contenir sa rage. Les Elfons échangèrent quelques mots à mi-voix. Bernalt m'adressa un sourire amer et haussa les épaules.

Retourner à Palerm ? Une journée de marche pour rien avec la chaleur qu'il faisait ? Pourquoi ? Pourquoi ?

D'un geste négligent, l'envahisseur nous enjoignit de nous disperser.

C'est alors qu'Olmayne m'agressa.

— Tomis, me chuchota-t-elle, explique-leur que tu es à la solde du procurateur de Perris et ils nous laisseront passer tous les deux.

Ses yeux noirs luisaient de dérision et de mépris.

Mes épaules s'affaissèrent comme si dix années de plus s'étaient abattues sur elles.

— Pourquoi dis-tu une chose pareille ?

— Il fait chaud. Je suis fatiguée. C'est stupide de nous obliger à retourner à Palerm.

— J'en conviens mais je n'y peux rien. Pourquoi cherches-tu à me faire du mal ?

— La vérité est donc si douloureuse ?

— Je ne suis pas un collaborateur, Olmayne.

Elle s'esclaffa.

— Comme tu as bien dit cela ! Et pourtant, si, Tomis, tu en es un ! Tu leur as vendu les documents.

— Pour sauver le prince, ton amant, répliquai-je.

— Il n'empêche que tu as eu des accointances avec les envahisseurs. Quels qu'aient été tes motifs, le fait est là.

— Tais-toi !

— Tu me donnes des ordres, à présent ?

— Olmayne...

— Va les trouver, Tomis. Dis-leur qui tu es et arrange-toi pour qu'ils nous laissent continuer notre route.

— Le convoi nous écraserait. D'ailleurs, je n'ai pas d'influence sur eux. Je ne suis pas un homme du procurateur.

— Je serai morte avant d'arriver à Palerm !

— Eh bien, meurs ! murmurai-je avec lassitude en lui tournant le dos.

— Traître ! Vieil imbécile sournois ! Lâche !

Je fis mine de ne pas entendre mais ses insultes me fustigeaient. Ces paroles étaient chargées de méchanceté mais ce n'était pas faux. Oui, j'avais eu des intelligences avec les conquérants, j'avais trahi la confrérie qui m'avait donné asile, j'avais enfreint le code qui nous faisait obligation de nous murer dans l'apathie et le refus, seul moyen de protester contre la défaite. Tout cela était vrai. Mais qu'Olmayne m'en fît le reproche était injuste. Je n'avais pas songé aux grandes idées, au patriotisme, en faisant acte d'apostasie. J'avais seulement essayé de sauver un homme envers lequel je me sentais des obligations. Un homme qui, de surcroît, était son amant. Me taxer maintenant de trahison, me déchirer pour la piètre raison que la chaleur et la poussière lui mettaient les nerfs à vif était indigne.

Mais n'était-il pas normal que la méchanceté de cette femme qui avait froidement assassiné son mari se manifestât aussi à propos de vétilles ?

Nous abandonnâmes la route aux envahisseurs et regagnâmes par petits groupes Palerm, une ville maussade et assoupie qui cuisait dans son jus. Le soir, une formation de Volants — trois hommes et deux femmes — qui passaient dans le ciel s'en entichèrent et, la nuit venue, une nuit sans lunes, ils revinrent tournoyer dans le ciel, immatériels, sveltes et beaux. Je restai plus d'une heure à suivre leurs ébats à tel point que j'eus l'impression que mon âme prenait son essor pour les rejoindre dans les airs. C'était à peine si leurs grandes ailes chatoyantes cachaient les astres. Leurs corps pâles et anguleux décrivaient de gracieuses arabesques. Ils virevoltaient, les bras collés aux flancs, les jambes serrées, les reins légèrement arqués. Ce spectacle me remémora Avluela et me remplit d'émotions inconfortables.

Après un dernier passage, les cinq Volants disparurent. Peu de temps après, les fausses lunes se levèrent et je rentrai à l'auberge.

Olmayne ne tarda pas à frapper à ma porte. La mine contrite, elle apportait un flacon octogonal contenant du vin vert. Pas un vin talyen, un breuvage importé d'outre-espace et qu'elle avait sans nul doute payé un bon prix.

— Me pardonneras-tu, Tomis ? Tiens... je sais que tu aimes ces vins.

— Je préférerais ne pas avoir de vin et que tu ne m'aies pas dit ce que tu m'as dit, lui répondis-je.

— C'est cette chaleur qui m'a énervée. Je regrette de t'avoir dit ces choses stupides et indélicates.

Je lui pardonnai dans l'espoir que nous nous entendrions mieux le reste du voyage et je bus presque toute la bouteille. Elle se retira alors dans sa chambre. La chasteté est de règle chez les Pèlerins. Certes, Olmayne n'aurait jamais couché avec un vieux fossile racorni de mon espèce mais la loi de notre confrérie d'adoption empêchait que la question se pose.

Je mis longtemps à m'endormir — ma conscience coupable me torturait. L'impatience et la fureur d'Olmayne m'avaient atteint au point sensible : j'étais un traître à l'humanité. Je me débattis avec ces tristes pensées presque jusqu'à l'aube.

— Qu'ai-je fait ?

J'ai livré certain document à nos envahisseurs.

— Les envahisseurs avaient-ils moralement le droit d'entrer en possession de ce document ?

Il révélait le traitement odieux qui leur a été infligé par nos ancêtres.

— Alors, en quoi était-il mal de le leur donner ?

On ne doit pas aider ses vainqueurs, même s'ils vous sont moralement supérieurs.

— Une petite trahison, est-ce tellement grave ?

Il n'y a pas de petites trahisons.

— C'est une question complexe qui demanderait sans doute à être approfondie. Je n'ai pas agi par amour de l'ennemi mais pour rendre service à un ami.

J'ai cependant collaboré avec nos ennemis.

— Cet acharnement à me torturer moi-même a des relents d'orgueil coupable.

Mais je me sens coupable. Je me suis couvert de honte.

Ce fut de cette façon stérile que je passai la nuit. Quand le jour pointa, je me levai de ma couche et, les yeux au ciel, j'implorai la Volonté de m'aider à trouver la rédemption à la fin de mon Pèlerinage dans les eaux de jouvence de Jorslem. Puis j'allai réveiller Olmayne.

3

Le Pont de Terre était rouvert à la circulation et nous nous mêlâmes à la foule quittant Tayla pour la Frique. C'était la seconde fois que je le franchissais puisqu'un an plus tôt — que cela me paraissait loin, maintenant! — je l'avais traversé venant d'Ogypte pour rallier Roum.

Les Pèlerins d'Eyrop qui vont à Jorslem ont le choix entre deux itinéraires. Par la route du nord, il faut passer par les Terres Noires à l'est de Tayla, prendre le ferry à Stanbool et suivre le littoral d'Aïs occidentale jusqu'à la cité sainte. C'était celle que j'aurais préféré emprunter car l'antique Stanbool était la seule des grandes villes de la planète que je n'avais pas visitée. Mais Olmayne y avait été en mission de recherches quand elle était Souvenante et elle ne l'aimait pas. Aussi avions-nous pris la route sud : on passe en Frique par le Pont, on longe le rivage du grand Lac Médit, on s'enfonce en Ogypte et on arrive à Jorslem après avoir coupé à travers le glacis du Désert d'Arbie.

Un vrai Pèlerin va toujours à pied mais ce mode de transport n'enchantait guère Olmayne et, bien que nous marchions beaucoup, nous montions dans des véhicules chaque fois que l'occasion s'en présentait. Elle n'avait aucun scrupule à les arrêter. Le second jour du voyage, elle avait ainsi réquisitionné un riche Marchand qui se rendait sur la côte. Il n'avait pas l'intention de partager sa somptueuse voiture avec qui que ce soit mais il fut incapable de résister à la sensualité de la voix chaude et mélodieuse d'Olmayne, même si c'était du grillage asexué d'un masque de Pèlerin que sortait cette voix.

Notre Marchand menait grand train. On aurait dit que, pour lui, la défaite n'avait jamais eu lieu. A son aune, la longue décadence du troisième cycle elle-même était lettre morte. Son véhicule autopropulsé mesurait quatre longueurs d'homme et cinq personnes pouvaient y tenir à l'aise. C'était comme une matrice protégeant efficacement ses occupants du monde extérieur. Il n'y avait pas de vision directe mais tout un jeu d'écrans révélant à la demande ce qui se passait au-dehors. Une fois réglée, la température demeurait constante. Des robinets servaient à volonté des boissons plus ou moins alcoolisées, il y avait des tablettes nutritives à profusion et des coussins à compression mettaient les voyageurs à l'abri des cahots. L'éclairage était dispensé par des lumières asservies obéissant aux caprices du conducteur. Un bonnet à pensées était fixé à côté du siège principal mais je n'ai jamais su si notre homme avait un cerveau en conserve pour son usage personnel quelque part dans les entrailles de la voiture ou s'il s'amusait à entrer en contact à pistance avec les silos à mémoire des cités qu'il traversait.

C'était un personnage pompeux et corpulent. Indiscutablement un sybarite. Le teint olivâtre, un épais toupet noir abondamment huilé, des yeux sombres et scrutateurs, il était fier de son bon sens et de la façon dont il maîtrisait un environnement incertain. Il faisait commerce de denrées alimentaires d'importation, échangeant nos grossiers produits finis contre les friandises d'outre-espace. Il se rendait à Marsay pour examiner une livraison d'insectes hallucinatoires récemment arrivée d'une des planètes de la Ceinture.

— Elle vous plaît, ma voiture ? nous demanda-t-il en voyant que nous étions ébahis. (Omayne, qui avait des goûts de luxe, examinait avec une stupéfaction manifeste l'épaisse garniture de brocart enrichie de diamants.) Elle appartenait au comte de Perris. Oui, sans blague, au comte de Perris en personne. Ils ont transformé son palais en musée, vous savez.

— Je sais, murmura-t-elle.

— C'était son carrosse. En principe, il faisait partie de la collection du musée mais je l'ai acheté à un envahisseur prévaricateur. Vous ne saviez pas que la corruption existait aussi chez eux, hein? (Le Marchand éclata d'un rire sonore et le revêtement sensible du véhicule se rétracta de répulsion.) En l'occurrence, c'était le petit ami du procurateur. Eh oui, chez eux aussi, ça existe également. Il cherchait à se procurer une racine bizarroïde qui pousse sur une des planètes des Poissons pour donner un coup de fouet à sa virilité, si vous voyez ce que je veux dire, et il lui est revenu que j'en suis l'importateur exclusif. Alors, on s'est entendu. Évidemment, il m'a fallu apporter quelques petites modifications. Le comte de Perris utilisait quatre neutres qu'il mettait devant et dont l'énergie métabolique faisait marcher le moteur. Le principe du gradient thermique, n'est-ce pas? C'est épatant pour un engin de locomotion à condition d'être un comte mais, en un an, on use quantité de neutres et je me suis dit que si je faisais ça, j'aurais l'air de péter plus haut que mon cul. En plus, j'aurais risqué d'avoir des ennuis avec l'occupant. Alors, j'ai tout fait démonter et j'ai remplacé le système par un moteur standard à grand développement. Un boulot tout ce qu'il y a de délicat. Et voilà le travail! Vous avez de la veine, vous savez. Heureusement que vous êtes des Pèlerins. D'habitude, je ne prends personne parce que les gens sont jaloux et les gens jaloux sont dangereux quand on est arrivé à quelque chose dans l'existence. Mais la Volonté a voulu que je vous trouve sur mon chemin. Comme ça, vous allez à Jorslem?

— Oui, dit Olmayne.

— Moi aussi, j'irai mais plus tard! Je ne suis pas encore mûr pour ça, grand merci! (Il tapota sa bedaine.) Je m'y rendrai quand le moment sera venu de faire une cure de jouvence, vous pouvez y compter, mais, s'il plaît à la Volonté, ce n'est pas encore pour demain! Il y a longtemps que vous êtes Pèlerins?

— Non.

— Je suppose qu'après la conquête, des tas de gens se sont faits Pèlerins. Mais je ne les blâme pas. Quand les temps changent, chacun est bien forcé de s'adapter selon ses moyens. Dites donc, vous avez de ces petites pierres que transportent les Pèlerins?

— Oui, répondit Olmayne.

— Ça ne vous ennuierait pas de m'en montrer une? Ce truc-là m'a toujours fasciné. Un jour, un négociant d'un des mondes de l'Étoile Noire — un maigrichon qui donnait l'impression de transpirer de la poix — m'en a proposé dix quintaux. Il affirmait que c'étaient des vraies qui induisaient la véritable communion, exactement comme pour les Pèlerins. Je lui ai dit : Rien à faire. Pas question d'avoir des histoires avec la Volonté! Il y a des choses qui ne se font pas, même si ça doit rapporter. Mais, après, j'ai regretté de ne pas en avoir pris une à titre de souvenir. Je n'ai jamais touché une seule de ces pierres. Je peux voir? demanda-t-il à Olmayne en tendant la main.

— Il est interdit de laisser quelqu'un qui n'est pas un Pèlerin manier une pierre d'étoile, protestai-je.

— Je ne le dirai à personne.

— Je te répète que c'est interdit.

— Allons! Nous sommes entre nous. Il n'y a pas d'endroit plus discret que ce carrosse sur toute la Terre et...

— Je t'en prie. Ce que tu demandes est impossible.

Il fit la moue. L'espace d'un instant, je crus qu'il allait stopper et nous ordonner de descendre, ce qui, pour ma part, ne m'aurait pas fait pleurer. Glissant la main dans ma besace, je caressai la sphère froide que l'on m'avait remise avant que je n'entame mon Pèlerinage. Son contact déclencha un lointain écho de la transe de communion et j'eus un frisson de plaisir. Je me jurai que le Marchand n'y toucherait pas. Mais l'incident n'eut pas de suites. Nous ayant mis à l'épreuve et s'étant heurté à une résistance, il jugea préférable de ne pas insister.

Ce n'était pas un homme sympathique mais il possédait une sorte de charme grossier et ses propos nous choquaient rarement. Olmayne, qui était délicate et qui, après tout, avait vécu presque toute sa vie dans la prison dorée qu'était la maison des Souvenants, avait plus de mal que moi à le supporter. Mon intolérance s'était émoussée au bout de tant d'années de pérégrinations. Mais Olmayne semblait elle-même le trouver amusant quand il se vantait de sa richesse et de son influence, quand il parlait des femmes qui l'attendaient sur d'innombrables planètes, quand il faisait l'inventaire de ses demeures et de ses trophées, des maîtres de confrérie qui se pressaient pour lui demander conseil, quand il faisait étalage des rapports amicaux qu'il avait avec les Maîtres et les Dominateurs d'antan. Il parlait presque uniquement de sa propre personne et nous interrogeait peu sur nous-mêmes, ce qui faisait notre affaire. Un jour, il nous demanda comment il se faisait que deux Pèlerins de sexe différent voyageaient ensemble, sous-entendant par là que nous devions forcément être amants. Nous reconnûmes que c'était une situation quelque peu irrégulière et changeâmes de sujet de conversation, mais je crois qu'il resta persuadé que nous nous adonnions à la lubricité. Les obscénités qu'il pouvait imaginer me laissaient indifférent tout autant qu'Olmayne, je suppose. Nos péchés respectifs pesaient d'un poids plus lourd.

L'existence de notre Marchand n'avait nullement été troublée par la défaite de la Terre. Quel homme digne d'envie! Il n'avait jamais été aussi prospère, jamais été aussi à l'aise ni libre de ses mouvements. Et pourtant, il était allergique à la présence des envahisseurs sur notre sol ainsi que nous le découvrîmes un beau soir un peu avant d'arriver à Marsay lorsque nous fûmes arrêtés à un point de contrôle.

Les détecteurs qui nous avaient repérés alertèrent les filières et une sorte de toile d'araignée dorée se matérialisa soudain en travers de la route. Les palpeurs du véhicule la décelèrent et donnèrent aussitôt l'ordre de faire halte. Nous vîmes sur les écrans une douzaine d'humains se rassembler.

— Ce sont des bandits? demanda Olmayne.

— Pire, répondit le Marchand. Ce sont des traîtres. (L'œil flamboyant, il se pencha sur l'embouchure du communicateur.) Qu'y a-t-il?

— Descendez. Inspection.

— Par ordre de qui?

— Du procurateur de Marsay.

Des humains faisant la police pour le compte des envahisseurs... quelle triste chose! Mais il était inévitable que des Terriens se mettent au service de l'occupant car les emplois étaient rares, surtout pour ceux qui avaient appartenu aux anciennes confréries de défense. Le Marchand commença à désoperculer le véhicule étanche, ce qui était une opération compliquée. Il bouillait de rage mais il n'y avait rien à faire : impossible de forcer le barrage.

— Je suis armé, nous murmura-t-il. Attendez dans la voiture et n'ayez pas peur.

Il mit pied à terre et entama avec les gardes routiers d'interminables palabres. Nous n'entendions rien. Finalement, la conférence dut aboutir à une impasse exigeant l'arbitrage de l'autorité supérieure car trois envahisseurs surgirent. Ils firent signe à leurs agents stipendiés de s'en aller et entourèrent le Marchand. L'attitude de ce dernier changea aussitôt. Une expression bonasse et retorse se peignit sur ses traits, ses mains s'agitèrent avec une éloquence fébrile tandis que ses yeux scintillaient. Les envahisseurs furent surpris de voir des Pèlerins en si opulent équipage mais ils ne nous firent pas descendre. La conversation se prolongea encore un peu, puis le Marchand remonta à bord du véhicule qu'il réopercula. La toile d'araignée se dématérialisa et nous reprîmes à vive allure la route de Marsay.

Après une litanie de jurons, le Marchand s'exclama :

— Vous savez ce que je ferais, moi, pour nous débarrasser de ces charognes de longs-bras ? Tout ce qu'il faudrait, c'est de la coordination. Une nuit des grands couteaux : un Terrien sur dix serait chargé de liquider un envahisseur. On les aurait tous.

— Pourquoi personne n'a donc eu l'idée d'organiser un mouvement de ce genre ? ripostai-je.

— C'est le boulot des Défenseurs. La moitié d'entre eux sont morts et le reste est à leur solde. Ce n'est pas à moi de mettre sur pied un mouvement de résistance mais c'est ça qu'il faudrait faire. La guérilla ! Les prendre en douce par-derrière et un bon coup de lame ! Vite fait. Rien de tel que les bonnes vieilles méthodes du premier cycle. Elles n'ont rien perdu de leur valeur.

— D'autres envahisseurs arriveraient en nombre encore plus grand, laissa tomber Olmayne sur un ton morose.

— Ils subiraient le même sort !

— Et ils nous noieraient sous un déluge de feu en représailles. Ils anéantiraient la planète.

— Ils se prétendent civilisés, plus civilisés que nous. Un acte aussi barbare les discréditerait aux yeux d'une foule de Mondes. Non, ils ne riposteraient pas par le feu. Ils finiraient par en avoir assez de recommencer jour après jour la conquête, assez d'essuyer de telles pertes. Alors, ils s'en iraient et nous recouvrerions la liberté.

— Sans que nous ayons payé nos fautes anciennes ? demandai-je.

— Que veux-tu dire par là, vieillard ?

— C'est sans importance.

— Je suppose qu'aucun de vous deux ne nous rejoindrait si nous passions à l'action ?

— Autrefois, j'étais un Guetteur. J'avais consacré ma vie à la protection de la Terre. Je n'éprouve pas plus de sympathie que toi envers nos maîtres et je ne suis pas moins désireux que toi de les voir déguerpir. Mais ce plan n'est pas seulement irréaliste : il est en outre dépourvu de valeur morale. Un bain de sang ne ferait que contrarier les desseins que la Volonté a conçus à notre égard. C'est par des moyens plus nobles que nous devons reconquérir notre liberté. Cette épreuve ne nous a pas été imposée simplement pour que nous nous livrions à un travail de boucherie.

Il me décocha un regard méprisant et lâcha dédaigneusement :

— J'oubliais que je m'adressais à des Pèlerins. Soit ! N'en parlons plus. D'ailleurs, ce n'était pas sérieux. Au fond, vous appréciez peut-être la situation actuelle. Qu'est-ce que j'en sais ?

— Je ne l'apprécie pas.

Il se tourna vers Olmayne. J'en fis autant car je m'attendais à moitié qu'elle lui dise que j'avais déjà apporté ma pierre à la collaboration avec les conquérants. Mais, heureusement, elle demeura muette sur ce sujet. Elle observa le même silence plusieurs mois durant jusqu'au jour infortuné où, cédant à l'impatience à l'orée du Pont de Terre, elle me fit grief de mon unique manquement.

À Marsay, nous prîmes congé de notre bienfaiteur, passâmes la nuit dans une auberge de Pèlerins et, le lendemain matin, nous reprîmes la route qui suivait la côte. Nous traversâmes d'aimables régions où l'envahisseur pullulait, tantôt à pied, tantôt à bord d'un chariot de paysan. Nous fûmes pris une fois par des conquérants en goguette. Nous fîmes un grand détour pour éviter Roum et obliquâmes en direction du sud. C'est ainsi que nous arrivâmes au Pont de Terre, que nous y fûmes retardés et que nous nous querellâmes avant d'être autorisés à traverser l'étroite langue de sable qui relie les continents que le lac sépare. Et nous entrâmes enfin en Frique.

4

Après la longue traversée du Pont dans la poussière, quand nous fûmes de l'autre côté, nous tombâmes sur une auberge crasseuse au bord du lac. Ce fut là que nous passâmes notre première nuit fricaine. C'était une bâtisse chaulée, carrée, pratiquement sans fenêtres entourant une fraîche cour intérieure. La clientèle était presque entièrement composée de Pèlerins mais elle comprenait aussi un certain nombre de membres d'autres confréries, surtout des Vendeurs et des Transporteurs. Une chambre d'angle était occupée par un Souvenant qu'Olmayne s'obstina à éviter bien qu'elle ne le connût pas. Elle voulait simplement oublier tout ce qui pouvait lui rappeler son ancienne confrérie.

L'Elfon Bernalt était l'un des hôtes de l'établissement. En vertu des nouvelles dispositions édictées par les envahisseurs, les Elfons étaient autorisés à loger dans n'importe quelle auberge publique et plus seulement dans celles qui leur étaient destinées, mais le trouver là avait néanmoins quelque chose d'insolite. Nous le croisâmes dans un couloir. Il ébaucha un sourire en me voyant, parut sur le point de m'adresser la parole mais son sourire s'effaça et la lueur qui s'était allumée dans ses yeux s'éteignit. Sans doute s'était-il rendu compte que je n'étais pas disposé à nouer des rapports d'amitié avec lui. Ou qu'il se rappelait tout bonnement que les règles de la congrégation interdisaient aux Pèlerins de frayer avec les hors-confrérie. Elles avaient toujours force de loi.

Après avoir soupé d'un potage graillonneux et de bouilli, j'accompagnai Olmayne à sa chambre.

— Attends, fit-elle comme je commençais à lui souhaiter une bonne nuit. Nous allons communier ensemble.

— On m'a vu entrer chez toi, objectai-je. Si je reste trop longtemps, cela fera jaser.

— Eh bien, allons chez toi.

Elle jeta un coup d'œil au-dehors. Tout était désert. Me prenant le poignet, elle m'entraîna en courant de l'autre côté du corridor et nous entrâmes en trombe dans ma chambre. Elle referma et scella la porte gondolée.

— Ta pierre d'étoile... vite!

Je la sortis de la cachette dissimulée sous ma houppelande, elle sortit la sienne et nos mains étreignirent les pierres.

Depuis que j'étais Pèlerin, j'avais constaté que ma pierre d'étoile m'était d'un grand réconfort. Bien des saisons avaient passé depuis ma dernière transe de Vigilance mais je n'étais pas encore entièrement accoutumé à la rupture de mes vieilles habitudes et la pierre d'étoile était une sorte de substitut à l'extase qui m'emportait lorsque je guettais.

Les pierres d'étoile viennent d'une des planètes extérieures — je ne saurais préciser laquelle — et seuls les membres de la confrérie peuvent les obtenir. C'est la pierre qui décide si l'on peut ou non devenir un Pèlerin car elle brûle la main de celui qu'elle estime indigne de revêtir la robe. On affirme que toutes les personnes sans exception qui ont été admises dans la confrérie étaient angoissées quand on leur a présenté la pierre pour la première fois.

— Étais-tu inquiet quand on t'a donné la tienne? me demanda Olmayne.

— Naturellement.

— Moi aussi.

Nous attendîmes que les pierres prissent possession de nous. Je serrais énergiquement la mienne. Sombre, luisante, plus lisse que le verre, elle était comme un glaçon dans mon poing. Peu à peu, je commençai à me mettre à l'unisson de la puissance de la Volonté.

D'abord, la perception que j'avais de ce qui m'environnait se magnifia. Les fissures des vieux murs étaient autant de ravins. La légère plainte du vent prit une sonorité plus aiguë. A la lueur chétive de la lampe, je distinguai des couleurs au delà du spectre.

Rien de comparable entre l'expérience de la pierre et celle donnée par les instruments de la Vigilance. Dans les deux cas, certes, il y a transcendance du moi. Quand j'entrais en Vigilance, j'étais capable de quitter mon identité de Terrien, je m'élançais à une vitesse infinie, franchissant des distances infinies, je percevais tout, c'était l'état le plus voisin de la condition divine qu'un homme pouvait espérer atteindre. La pierre d'étoile n'apportait aucune des perceptions hautement spécifiques que dispensait la transe du Guetteur. Je ne voyais rien et je ne reconnaissais pas mon environnement. Je savais seulement que lorsque je m'abandonnais à son emprise, quelque chose de plus grand que moi m'engloutissait, que j'étais directement en contact avec la matrice de l'univers. Appelez cela la communion avec la Volonté.

La voix d'Olmayne me parvint, venant de très loin :

— Est-ce que tu crois à ce que certains disent au sujet de ces pierres ? Que la communion n'est rien de plus qu'une illusion d'origine électrique ?

— Je n'ai pas de théorie là-dessus. Ce sont les effets qui m'intéressent, pas les causes.

Selon les sceptiques, les pierres d'étoile ne seraient que des boucles amplificatrices faisant rebondir les ondes cérébrales en circuit fermé dans la tête du sujet. La prodigieuse entité océanique avec laquelle on entre en liaison serait, soutiennent les railleurs, tout bêtement la tonnante oscillation renouvelée d'une simple impulsion électrique battant dans le propre crâne du Pèlerin. Peut-être. Peut-être.

Olmayne allongea sa main qui tenait la pierre.

— As-tu étudié l'histoire de la religion primitive quand tu étais parmi les Souvenants, Tomis? L'homme a de tout temps cherché à se fondre avec l'infini. Beaucoup de religion — mais pas toutes! — faisaient miroiter l'espoir d'une telle fusion divine.

— Il y avait aussi des drogues, murmurai-je.

— Oui, certaines drogues appréciées pour la propriété qu'elles avaient de donner momentanément à celui qui les absorbait l'impression de ne plus faire qu'un avec l'univers. Les pierres d'étoile ne sont que le dernier en date d'une longue série de moyens élaborés dans le but de venir à bout de la plus grande des malédictions humaines, à savoir que l'âme est captive d'un seul corps. Cette coupure terrible qui isole les individus les uns des autres et les isole de la Volonté est une torture que la plupart des races du cosmos seraient incapables de supporter. Il semble que l'humanité soit un cas unique.

Sa voix était de plus en plus indistincte. Elle continuait de parler du savoir qu'elle avait acquis chez les Souvenants mais le sens de ses paroles m'échappait. J'entrais toujours le premier en communion en raison de mon entraînement de Guetteur et il était fréquent que je n'enregistre pas ses derniers mots.

Ce soir-là comme d'autres, la pierre dans mon poing fermé, je me sentis soudain glacé et fermai les yeux. J'entendais résonner un gong distant et puissant, des vagues lécher une grève inconnue, le vent soupirer dans une forêt qui n'était pas de ce monde. Et je perçus l'appel. Et j'y répondis. Et j'entrai en communion, je m'abandonnai à la Volonté.

Et je m'enfonçai à travers les strates de mon existence, revivant ma jeunesse et mon âge adulte, mes errances, mes amours d'antan, mes tourments, mes joies, les années inquiètes de la vieillesse, mes trahisons, mes lacunes, mes chagrins, mes imperfections.

Et je me libérai de moi-même. Et je dépouillai mon égotisme. Et ce fut la fusion. Et je devins un Pèlerin parmi des milliers, pas seulement Olmayne, toute proche, mais les Pèlerins qui gravissaient les montagnes d'Hind et sillonnaient les sables d'Arbie, les Pèlerins qui accomplissaient leurs dévotions en Aïs, à Palash, en Stralya, les Pèlerins qui convergeaient vers Jorslem, qui l'atteindraient dans quelques mois, dans quelques années et ceux qui n'arriveraient jamais au terme du voyage. Et j'étais immergé avec tous dans la Volonté. Et je voyais dans les ténèbres briller une lueur violette à l'horizon, une lumière dont l'éclat devint de plus en plus intense et se mua en un éblouissant et rouge flamboiement qui embrasait tout. Et j'entrai dans ce brasier malgré mon indignité, souillé que j'étais dans ma prison de chair, acceptant pleinement la communion offerte et n'aspirant à rien d'autre qu'à ce divorce d'avec mon être.

Et je fus purifié.

Et je me réveillai seul.

5

Je connaissais bien la Frique. Jeune homme, j'avais vécu de longues années au cœur noir de ce continent. Finalement, cédant à l'impatience, j'étais remonté vers le nord jusqu'en Ogypte où les vestiges du premier cycle se sont mieux conservés que partout ailleurs. Mais, à cette époque, l'Antiquité ne m'intéressait pas. J'allais de lieu en lieu pour accomplir mes Vigiles car un Guetteur n'est pas obligé d'avoir un poste fixe. Le hasard me fit faire la connaissance d'Avluela au moment où j'étais prêt à reprendre la route. Je quittai alors l'Ogypte pour me rendre à Roum et, de là, je gagnai Perris.

Et je me retrouvais en Frique avec Olmayne. Nous suivions la côte, prenant garde d'éviter les étendues sableuses de l'intérieur. Pèlerins, nous étions à l'abri de presque tous les aléas qui sont le lot des voyageurs. Nous avions toujours à manger et nous avions toujours un toit, même là où il n'y avait pas d'auberge de la confrérie, et tout le monde nous devait le respect. La grande beauté d'Olmayne aurait pu constituer un danger pour elle qui n'avait pour toute escorte qu'un vieillard flétri mais sa robe et son masque lui étaient un rempart. Nous n'ôtions que rarement notre masque, et jamais en présence de témoins.

Je ne me leurrais pas sur l'importance qu'elle m'accordait. Pour elle, je n'étais qu'un accessoire de voyage — quelqu'un qui l'aidait à communier avec la Volonté et à pratiquer les rites, qui s'occupait de trouver un hébergement, qui aplanissait la route. Ce rôle me convenait. Je savais que c'était une femme dangereuse qui avait des caprices étranges et des lubies imprévisibles. Je ne voulais surtout pas entrer en conflit avec elle.

Elle n'avait pas la pureté des Pèlerins. Bien qu'elle eût passé l'épreuve de la pierre d'étoile, elle n'avait pas triomphé de la chair comme doivent le faire les Pèlerins. Parfois, elle disparaissait la moitié de la nuit ou plus longtemps encore et je l'imaginais dans quelque ruelle, démasquée et râlant dans les bras d'un Serviteur. C'était son affaire, pas la mienne. Quand elle rentrait, je ne faisais jamais allusion à ses escapades.

Même dans les auberges, elle prenait la vertu à la légère. Jamais nous ne partagions la même chambre — aucune auberge pour Pèlerins ne l'aurait permis — mais nous avions généralement des chambres mitoyennes et elle me faisait venir chez elle ou entrait chez moi quand l'idée lui prenait. La plupart du temps, elle était nue. Une nuit, en Ogypte, elle atteignit le comble du grotesque : je la trouvai avec son masque pour tout vêtement, son corps pâle et satiné démentant l'austérité de la grille de bronze qui dissimulait sa face. En une occasion, elle oublia que je n'étais peut-être pas encore assez sénile pour ne pas la désirer. Elle examina mon anatomie rabougrie et desséchée et murmura d'une voix rêveuse :

— Je me demande comment tu seras après avoir suivi la cure de jouvence à Jorslem. J'essaye de t'imaginer rajeuni. Est-ce que tu me donneras du plaisir, à ce moment ?

J'éludai la question :

— J'ai donné du plaisir à des femmes en d'autres temps.

Olmayne supportait difficilement la chaleur et la sécheresse de l'Ogypte. Nous voyagions presque exclusivement de nuit. Dans la journée, nous ne quittions pas l'auberge. Les routes étaient encombrées en permanence. Les Pèlerins qui se rendaient à Jorslem étaient une multitude extraordinaire. Et nous nous interrogions sur le temps qu'il nous faudrait pour avoir accès aux eaux de jouvence, compte tenu de l'affluence.

— Tu n'as jamais été rajeuni, Tomis ?

— Jamais.

— Moi non plus. Il paraît qu'on n'admet pas tous ceux qui se présentent.

— La cure de rajeunissement est un privilège, pas un droit. Il y a beaucoup d'appelés et peu d'élus.

— J'ai également entendu dire que tous ceux qui se baignent dans les eaux de jouvence ne sont pas forcément rajeunis.

— Je ne suis pas très au courant de ce problème.

— Il y en a qui vieillissent au lieu de rajeunir. Et d'autres qui rajeunissent trop vite et qui en meurent. C'est risqué.

— Et tu hésites à prendre le risque ?

Elle éclata de rire.

— Il faudrait être fou pour hésiter.

— Pous l'instant, tu n'as pas besoin d'une cure de jouvence. C'est pour des motifs d'ordre spirituel que tu dois aller à Jorslem, si je me souviens bien, pas pour prendre soin de ton corps.

— Quand nous serons arrivés, je m'occuperai des deux — de mon corps et de mon âme.

— Mais, à t'entendre, on a l'impression que le seul endroit que tu songes à visiter est la maison du renouvellement.

— C'est le plus important, répliqua-t-elle en se levant et en s'étirant voluptueusement. C'est vrai, je dois expier. Mais crois-tu que j'accepte de faire ce long voyage uniquement au bénéfice de mon âme ?

— En ce qui me concerne, c'est mon but.

— Toi ! Tu es vieux et tu n'as plus que la peau sur les os ! Tu as tout intérêt à t'occuper de ton âme — et de ta chair pendant que tu y seras. Pour ma part, perdre quelques années, je ne serais pas contre. Pas énormément. Huit ou dix, ce serait suffisant. Les années que j'ai gâchées avec ce crétin d'Elegro. Je n'ai pas besoin d'un rajeunissement complet. Tu as raison ! je suis encore en fleur. (Sa physionomie s'assombrit :) Mais si Jorslem est pleine de Pèlerins, peut-être qu'on ne me laissera pas entrer dans la maison de jouvence! Qu'on me dira que je suis trop jeune, que je n'ai qu'à revenir dans quarante ou cinquante ans... Tomis, crois-tu que c'est ce qu'on me dira?

— Il est malaisé de te répondre.

Maintenant, elle tremblait.

— Toi, ils te feront entrer. Tu es déjà un cadavre ambulant. Ils seront bien forcés de te rajeunir. Mais moi, Tomis... Moi, je n'accepterai pas qu'ils m'opposent une fin de non-recevoir! J'obtiendrai ce que je veux, même si je dois, pour cela, démanteler Jorslem pierre par pierre!

Je me demandai dans mon for intérieur si elle était spirituellement en état de poser sa candidature pour le rajeunissement. L'humilité est une vertu recommandée quand on endosse la robe du Pèlerin. Mais, peu désireux de m'attirer ses foudres, je préférai garder le silence. Peut-être l'accès aux eaux de jouvence lui serait-il accordé en dépit de ses manques. J'avais mes propres soucis. C'était la vanité qui animait Olmayne. Mes mobiles à moi étaient d'une autre nature. J'avais longtemps erré de par le monde et fait beaucoup de choses — des choses loin d'être toutes vertueuses. J'avais plus besoin de laver ma conscience dans la cité sainte que de retrouver la jeunesse du corps.

Mais n'était-ce pas l'orgueil qui me faisait penser ainsi?

6

Quelques jours plus tard, après avoir traversé un paysage calciné, nous atteignîmes un village. Des enfants manifestement terrorisés se ruèrent à notre rencontre, criant avec excitation : « Venez, venez, s'il vous plaît! Venez, Pèlerins! »

Ils s'agrippaient à nos vêtements.

— Qu'est-ce qu'ils disent, Tomis? me demanda Olmayne,

étonnée et manifestement irritée. Je ne comprends rien de ce qu'il racontent avec cet horrible accent ogyptien.

— Ils réclament notre assistance. (Je prêtai l'oreille aux clameurs des gamins.) La maladie de la cristallisation s'est déclarée dans ce village. Ils souhaitent que la Volonté prenne les malades en sa miséricorde.

Olmayne recula et je devinai sa grimace de dégoût derrière le masque. Elle agita les bras pour empêcher les enfants de la toucher.

— Nous ne pouvons pas! s'exclama-t-elle.

— Il le faut.

— Mais nous sommes pressés! Il y a foule à Jorslem. Je n'ai aucune envie de perdre mon temps dans cet affreux village.

— On a besoin de nous.

— Nous ne sommes pas des chirurgiens.

— Nous sommes des Pèlerins, répliquai-je posément. Les avantages attachés à notre état entraînent certaines servitudes. Si tous ceux que nous rencontrons sont tenus de nous accueillir, nous devons, en contrepartie, assister spirituellement les humbles. Viens.

— Je ne veux pas!

— Que pensera-t-on de ta conduite à Jorslem quand tu auras à rendre compte de ton comportement, Olmayne?

— C'est une horrible maladie. Suppose que nous l'attrapions?

— C'est donc cela qui t'inquiète? Aie confiance en la Volonté. Comment espères-tu te renouveler si la grâce te fait défaut à ce point-là?

— Crève, Tomis! gronda-t-elle. Depuis quand es-tu aussi dévot? Tu le fais exprès à cause de ce que je t'ai dit à l'entrée du Pont de Terre. Dans un moment d'égarement, j'ai eu la bêtise de t'insulter et, maintenant, tu es prêt à nous faire courir le risque d'attraper une terrible maladie pour te venger. N'y va pas, Tomis!

Je ne relevai pas l'accusation.

— Les enfants s'énervent, Olmayne. Veux-tu m'attendre?

Ou préfères-tu aller jusqu'au prochain village ? Je te retrouverai à l'hôtellerie.

— Tu ne vas quand même pas me laisser seule dans ce désert !

— Je dois aller visiter les malades.

En définitive, elle m'accompagna — non point qu'elle eût été subitement touchée par la grâce et désirât rendre service mais parce qu'un refus aussi égoïste l'aurait desservie à Jorslem.

Le village était une modeste bourgade décrépite — l'Ogypte, en effet, somnole sous sa chaleur torride et les millénaires passent sans apporter beaucoup de changements. Le contraste qu'elle offre avec les trépidantes cités du Sud de la Frique — dont les grandes Manufactures assurent la prospérité — est saisissant.

Étouffant dans cette atmosphère d'étuve, nous suivîmes les enfants qui nous conduisirent aux maisons des malades.

La maladie de la cristallisation est un maléfique présent des étoiles. Rares sont les affections d'origine galactique qui frappent les hommes de la Terre. Ce mal, apporté par des touristes en provenance de la constellation de l'Epieu, s'est acclimaté chez nous. S'il était apparu aux jours de gloire du second cycle, il aurait été jugulé en un clin d'œil. Mais, aujourd'hui, notre science est débile et il ne se passe pas une année sans qu'une épidémie éclate. Olmayne était visiblement terrorisée quand nous pénétrâmes dans la première hutte d'argile où étaient confinées les victimes.

C'est une maladie fatale. Tout ce que l'on peut espérer est que les personnes saines seront épargnées. Heureusement, elle n'est pas extrêmement contagieuse. C'est un mal insidieux dont on ignore le mode de propagation. Il est fréquent que le mari ne le transmette pas à sa femme alors qu'il se manifeste soudain à l'autre bout de la ville, voire dans une autre région. Le premier symptôme est la desquamation, des démangeaisons, de l'irritation. La peau se détache par plaques au contact du linge. Puis les os se décalcifient et deviennent mous. La chair acquiert une consistance flasque, caoutchouteuse, mais ce n'est encore là que la première phase. Bientôt on constate un durcissement des tissus externes. Une épaisse membrane opaque se forme sur la surface de l'œil, les narines peuvent se souder, la peau est rugueuse et granuleuse. C'est le stade dit prophétique : le patient acquiert les dons des Somnambules et prononce des oracles. Il arrive que l'esprit se détache du corps pendant des heures sans que les processus vitaux s'interrompent pour autant. La cristallisation intervient vingt jours après la contamination. Le squelette se désagrège, l'épiderme se fendille et se craquelle, formant des cristaux brillants rigoureusement géométriques. L'aspect du malade est alors d'une grande beauté. Il est comme une reproduction de lui-même qui aurait été faite en pierres précieuses. Les cristaux ont des miroitements violets, verts, rouges. D'une heure à l'autre, leurs facettes se remanient. La plus faible lumière arrache à l'infortuné des reflets éblouissants qui sont une joie pour l'œil. Pendant ce temps interviennent des transformations internes comme si une étrange chrysalide était en train de naître. Durant toute cette métamorphose, les organes continuent miraculeusement de fonctionner bien que, à la phase cristalline, le malade ne soit plus capable de communiquer. Il est possible qu'il n'ait pas conscience des changements qui ont lieu en lui. Enfin, les organes vitaux sont atteints et les mécanismes métaboliques prennent fin. L'agent agresseur ne peut, en effet, transformer les organes sans tuer l'hôte du même coup. La mort est rapide : une brève convulsion, une dernière décharge de l'influx nerveux, le corps du cristallisé s'arque tandis que retentit un frêle tintement de verre qui tremble — et c'est fini. Sur la planète d'origine, la cristallisation n'est pas une maladie mais une authentique métamorphose, fruit d'une évolution millénaire tendant à l'instauration de relations symboliques. Malheureusement, ce cheminement préparatoire n'a pas eu lieu chez les Terriens et l'issue est invariablement fatale.

Le mal étant irréversible, nous ne pouvions rien faire de vraiment utile, Olmayne et moi, sinon essayer de réconforter ces pauvres gens affolés et ignorants. Je compris immédiatement qu'il y avait déjà un certain temps que le village était frappé. Tous les stades étaient représentés, depuis la phase éruptive initiale jusqu'à la cristallisation terminale. Les malades étaient placés dans la cabane en fonction du degré d'infection. A ma gauche s'alignaient une rangée de victimes récentes, toutes pleinement conscientes, qui se grattaient maladivement les bras en méditant sur les horreurs qui les attendaient. Devant le mur du fond étaient disposées cinq paillasses sur lesquelles gisaient des villageois à l'épiderme induré qui en étaient à la phase prophétique. A ma droite, des patients à des phases diverses de cristallisation dont l'un, perle du lot, vivait visiblement ses derniers moments. Son corps, serti de faux rubis, de fausses émeraudes et de fausses opales, était d'une beauté presque douloureuse. Il remuait à peine. Enfermé dans cette radieuse coquille, il était perdu dans je ne sais quel rêve extatique, savourant au seuil de la mort des émotions et des délices qu'il n'avait jamais pu connaître tout au long de sa rude existence de paysan.

— C'est affreux! murmura Olmayne en s'éloignant de la porte. Je ne veux pas entrer!

— Il le faut. C'est notre devoir.

— Je n'ai jamais demandé à appartenir à la confrérie des Pèlerins!

— Tu as voulu te racheter, lui rappelai-je. Le rachat se gagne.

— Nous allons attraper la maladie!

— La Volonté peut nous atteindre n'importe où, Olmayne. Le mal frappe au hasard. Le danger n'est pas plus grand ici qu'à Perris.

— Pourquoi donc y a-t-il autant de malades dans ce seul village?

— Peut-être a-t-il encouru le déplaisir de la Volonté.

— Comme tu la connais, la rengaine du mysticisme! s'exclama-t-elle avec aigreur. Je me suis trompée sur ton compte. Je te croyais un homme raisonnable. Ton fatalisme est écœurant.

— J'ai vu ma planète conquise. J'ai vu mourir le prince de Roum. Ce sont les calamités dont j'ai été témoin qui ont engendré cette nouvelle façon de voir qui est désormais la mienne. Entrons.

Nous entrâmes bien qu'Olmayne manifestât toujours autant de répugnance. Soudain, une vague de peur m'envahit mais je cachai mon effroi. Pendant cette discussion avec la ravissante Souvenante qui était ma compagne, ma piété m'avait presque servi d'armure mais, maintenant, je ne pouvais pas nier la frayeur que je sentais bouillonner en moi.

Je m'exhortai au calme. La rédemption, me disai-je, a des formes multiples. Si la maladie doit être celle que revêtira la mienne, je me soumettrai à la Volonté.

Peut-être Olmayne arrivera-t-elle à la même conclusion à moins que son sens du théâtre ne l'obligeât à jouer à contrecœur les dames visiteuses. Elle fit la tournée des malades avec moi. Nous passâmes de grabat en grabat, la tête baissée, la pierre d'étoile entre les mains. Nous disions des paroles de réconfort, sourions aux patients récemment atteints, avides d'être rassurés, nous priions. Olmayne s'arrêta devant une jeune fille à la phase secondaire dont une pellicule de tissu corné voilait déjà les yeux, s'agenouilla et de sa pierre toucha les joues dont la peau s'écaillait. La jeune fille proférait des oracles mais, heureusement, dans une langue inconnue.

Nous arrivâmes enfin au malade à la phase terminale, encastré dans son somptueux sarcophage. Bizarrement, toute peur m'avait quitté et il en allait de même d'Olmayne car elle resta longtemps silencieuse devant le malheureux si grotesquement paré avant de chuchoter : « C'est terrible! C'est merveilleux! Quelle beauté! »

D'autres baraques identiques à celle-là nous attendaient. Les villageois s'agglutinaient aux portes. Quand nous ressortions, les habitants valides se prosternaient, s'accrochaient au bas de nos robes en nous suppliant d'une voix stridente d'intercéder pour eux auprès de la Volonté. Nous répondions par les paroles qui nous paraissaient les plus appropriées sans être trop fallacieuses. Les gisants nous écoutaient sans réagir comme s'ils savaient déjà qu'il n'y avait rien à faire pour eux mais ceux qui étaient encore indemnes buvaient chacune des syllabes que nous prononcions. Le chef du village — par intérim : le vrai était cristallisé — nous remercia à n'en plus finir comme si nous avions effectivement fait quelque chose de concret. En tout cas, nous avions apporté une consolation, et ce n'était pas à dédaigner.

Comme nous sortions de la dernière des maisons transformées en lazarets, nous aperçûmes quelqu'un qui nous regardait de loin. Nous reconnûmes la silhouette fluette de l'Elfon Bernalt. Olmayne me lança un coup de coude :

— Cette créature nous suit, Tomis. Depuis le Pont de Terre, elle nous suit.

— Il va aussi à Jorslem.

— Peut-être, mais pourquoi se serait-il arrêté ici ? Dans cet endroit épouvantable ?

— Chut ! Tâche d'être polie avec lui.

— Polie avec un Elfon !

Bernalt s'avança. Son souple vêtement gommait ce qu'avait d'insolite son physique de mutant. Il désigna tristement le village du menton et dit :

— Quelle tragédie ! La Volonté a cruellement frappé en ces lieux.

Il était arrivé, nous expliqua-t-il, quelques jours plus tôt et avait rencontré un ami de Nayrub où il était né. Je pensai que c'était un autre Elfon mais il précisa qu'il s'agissait d'un Chirurgien qui s'était arrêté là pour aider autant que faire se pouvait les villageois éprouvés. L'idée qu'un Chirurgien pût avoir un Elfon pour ami me parut un peu singulière et révulsa positivement Olmayne qui ne prenait pas la peine de dissimuler sa répugnance envers Bernalt.

Un homme déjà partiellement cristallisé sortit en titubant d'un des gourbis, tordant ses mains noueuses. Bernalt l'aida doucement à rentrer.

— Il y a des moments, dit-il quand il nous eut rejoints, où l'on est bien content d'être un Elfon. Nous sommes immunisés contre cette maladie. (Une lueur brilla soudain dans ses yeux.) Mais je vous importune peut-être, Pèlerins ? Votre visage a l'air d'être de pierre derrière le masque. Je n'ai pas l'intention de vous incommoder. Voulez-vous que je vous laisse ?

— Bien sûr que non.

Je n'en pensais pas un mot. Sa présence me mettait mal à l'aise. Peut-être le mépris dans lequel on tenait généralement les Elfons était-il contagieux et avait-il fini par me contaminer.

— Reste un moment, poursuivis-je. Je te proposerais bien de nous accompagner jusqu'à Jorslem mais tu sais que cela nous est interdit.

— Certainement. Je comprends très bien.

Une brûlante amertume se devinait derrière sa courtoisie glacée. La plupart des Elfons sont si avilis et si bestiaux qu'ils sont incapables de comprendre à quel point les hommes et les femmes normalement inféodés à une confrérie les honnissent mais, à l'évidence, Bernalt connaissait les tourments, fils de l'intuition. Il sourit et tendit le bras.

— Voici mon ami.

Trois hommes approchaient. L'un d'eux — mince, le teint sombre, la voix douce, le regard las, des cheveux blonds clairsemés — était le Chirurgien. Un officiel des forces d'invasion et un extra-terrestre originaire d'une autre planète l'accompagnaient.

— J'ai appris que deux Pèlerins étaient venus, dit l'envahisseur. Soyez remerciés pour le réconfort que vous avez peut-être apporté à ces pauvres gens. Je suis Earthclaim Dix-Neuf, gouverneur de ce district. Voulez-vous être mes hôtes à souper ?

Accepter l'hospitalité d'un envahisseur me laissait réticent et la manière dont Olmayne serra brusquement sa pierre d'étoile dans son poing trahit l'hésitation qu'elle éprouvait, elle aussi. Le conquérant semblait vivement souhaiter que nous nous rendions à son invitation. Il était moins grand que la majorité de ses congénères et ses bras disproportionnés descendaient plus bas que ses genoux. Sous le flamboyant soleil d'Ogypte, son épaisse peau cireuse avait acquis un lustre éclatant mais il ne transpirait pas.

Après un long silence tendu et gênant, le Chirurgien dit :

— Inutile de tergiverser. Dans ce village, nous sommes tous frères. Vous serez des nôtres ce soir, n'est-ce pas ?

Nous cédâmes. Notre hôte occupait une villa au bord du lac Médit. Dans la lumière limpide de la fin de l'après-midi, j'eus l'impression de distinguer à gauche la langue que faisait le Pont de Terre et même l'Eyrope sur l'autre rive. Nous fûmes accueillis par des membres de la confrérie des Serviteurs qui nous apportèrent des rafraîchissements dans le patio. L'envahisseur avait une large domesticité exclusivement constituée de Terriens, une preuve de plus que la conquête était à présent devenue une institution totalement admise par la masse de la population.

Nous parlâmes longtemps après la tombée de la nuit tout en buvant tandis que des aurores palpitantes dansaient dans l'obscurité. Bernalt l'Elfon, cependant, demeurait à l'écart de la conversation. Peut-être le gênions-nous. Olmayne, elle aussi, était d'humeur sombre et gardait ses distances. La vue du village ravagé l'avait mise dans un état complexe de dépression mêlée d'exaltation et la présence de Bernalt concourait peut-être à la plonger dans le mutisme car l'idée de faire un effort pour se montrer polie devant un Elfon ne l'effleurait même pas. Notre hôte, débordant de charme, était aux petits soins pour elle et s'efforçait de dissiper sa mélancolie. J'avais déjà eu l'occasion de voir auparavant des conquérants pleins de charme. J'avais voyagé juste avant l'invasion avec l'un d'eux qui se faisait passer pour un Elfon terrien du nom de Gormon. En ce temps-là, sur sa planète natale, Earthclaim Dix-Neuf était poète.

— Il me semble inconcevable, lui dis-je, que quelqu'un ayant les goûts que vous avez puisse faire partie d'une armée d'occupation.

— Toutes les expériences sont les nourrices de l'art, répliqua-t-il. Je cherche à m'épanouir. D'ailleurs, je ne suis pas un guerrier mais un administrateur. Est-il donc tellement étrange qu'un poète puisse être un administrateur ou un administrateur un poète? (Il se mit à rire.) Parmi vos nombreuses confréries, il n'y en a pas une de poètes. Pourquoi?

— Nous avons les Communicants. Ils servent votre muse.

— Oui, mais sur un plan religieux. Ils sont les porte-parole de la Volonté, pas ceux de leur âme propre.

— Il n'y a pas de différence entre la Volonté et l'âme. Leurs vers sont d'inspiration divine mais c'est de leur cœur qu'ils jaillissent.

Ma réponse ne parut pas le convaincre.

— Je suppose que vous diriez que, si l'on va au fond des choses, toute poésie est finalement de nature religieuse. Mais vos Communicants ont un domaine beaucoup trop limité. Ils ne font que s'incliner devant la Volonté.

Olmayne intervint :

— Vous donnez dans le paradoxe. La Volonté embrasse tout et vous, vous prétendez que nos Communicants sont trop limités.

— Il y a d'autres thèmes de poésie en dehors de celui de la dissolution du moi dans la Volonté. L'amour humain, la joie de défendre son foyer, l'émerveillement que l'on éprouve à être nu sous les astres embrasés... (Il s'esclaffa.) Et si la chute si rapide de la Terre tenait au fait que ses seuls poètes étaient les chantres de la soumission au destin ?

— La Terre est tombée, rétorqua le Chirurgien, parce que la Volonté a voulu que nous expiions le crime qu'ont commis nos ancêtres en traitant les vôtres comme des bêtes. La qualité de notre poésie n'a rien à voir là-dedans.

— La Volonté a décrété que la défaite serait votre châtiment, c'est cela ? Mais si elle est omnipotente, elle a forcément décrété aussi que vos pères commettraient le crime qui a rendu le châtiment nécessaire. Non ? La Volonté qui se fait des niches ! Voilà bien la difficulté de croire en une force divine déterminant tous les événements ! Où est l'élément de choix qui donne son sens à la souffrance ? Obliger des gens à commettre un péché et le leur faire expier ensuite par la défaite me semble dépourvu de toute signification. Excusez-moi si je blasphème.

— Vous ne comprenez pas, objecta le Chirurgien. Tout ce qui est survenu sur cette planète fait partie d'un enchaînement de préceptes moraux. La Volonté ne peaufine pas chaque événement, qu'il soit grand ou petit. Elle fournit la matière première et nous laisse les modeler à notre guise.

— Par exemple ?

— La Volonté a doté les Terriens de certains talents et d'un certain savoir. Au cours du premier cycle, nous avons émergé en peu de temps de l'état de barbarie. Au cours du second cycle, nous nous sommes élevés aux cimes. A l'apogée de notre grandeur, imbus de vanité, nous avons choisi d'aller au delà de nos limites. Nous avons mis en captivité des créatures extra-terrestres sous prétexte de les « étudier » alors que, en réalité, nous agissions ainsi par arrogance, pour nous amuser. Et nous avons joué avec les climats tant et si bien que les océans se sont réunis, que les continents ont été submergés et que cela a entraîné la destruction de notre ancienne civilisation. C'est de cette façon que la Volonté nous a montré les frontières de l'ambition humaine.

— J'aime encore moins cette philosophie pessimiste, dit l'envahisseur. Je...

— Laissez-moi terminer. L'effondrement de la Terre du second cycle a été notre punition. La défaite de la Terre au troisième cycle, vaincue par vous, est le complément de ce châtiment mais elle marque aussi le début d'une nouvelle ère. Vous êtes l'instrument de notre rédemption. En nous infligeant l'ultime humiliation de l'écrasement, vous nous avez fait toucher le fond. Maintenant, notre âme se lave de ses souillures, nous recommençons notre progression ascendante, aguerris par les épreuves.

Je dévisageai avec un soudain étonnement le Chirurgien qui exprimait des idées qui me travaillaient depuis que j'avais pris la route de Jorslem — l'idée d'une rédemption à la fois personnelle et planétaire. Pour la première fois, je commençai à prêter attention à cet homme.

— Puis-je me permettre une observation ? demanda Bernalt qui n'avait pas encore ouvert la bouche.

Nous le regardâmes. Les scintillantes rayures pigmentées qui striaient ses joues trahissaient son émotion.

— Tu parles de rédemption pour les Terriens, ami, dit-il au Chirurgien. Entends-tu par là *tous* les Terriens ou seulement ceux qui font partie des confréries ?

— Tous, bien sûr. N'avons-nous pas été tous également vaincus ?

— Certes, mais nous ne sommes pas égaux en d'autres domaines. Peut-il y avoir rédemption pour une planète qui maintient des millions de ses enfants en dehors des confréries ? Je parle des créatures de mon espèce, évidemment. Nous avons, il y a bien longtemps, commis un crime en nous dressant contre ceux qui nous avaient créés et avaient fait de nous des monstres. Nous avons tenté de nous emparer de Jorslem. Nous avons été punis et il y a mille ans que notre châtiment se prolonge. Ne sommes-nous pas toujours des hors-caste ? Quel espoir de rédemption avons-nous ? Pouvez-vous, vous, membres des confréries, considérer que l'adversité qui vous a frappés vous a purifiés et rendus vertueux alors que vous continuez à nous accabler ?

L'argument eut l'air de troubler le Chirugien.

— Pardonne-moi, mon ami. Bien sûr, ce que tu dis est vrai. Je me suis laissé entraîné. La chaleur... ce vin délectable... Quelles sottises ai-je dites !

— Dois-je comprendre qu'est en train de se constituer un mouvement de résistance qui nous chassera bientôt de cette planète ? s'enquit Earthclaim Dix-Neuf.

— Je parlais seulement en termes abstraits, dit le Chirurgien.

— Votre résistance ne sera pas moins abstraite. Ne m'en veuillez pas mais je ne vois pas chez vous de force que nous ne serions pas en mesure de défaire en l'espace d'une seule nuit. Nous envisageons une longue occupation et ne nous attendons pas à nous heurter à une forte opposition. Depuis notre arrivée qui remonte à plusieurs mois, nous n'avons pas noté de recrudescence d'hostilité. Au contraire : on nous accepte de mieux en mieux.

— C'est un élément dans un ensemble, fit le Chirurgien. Le poète que vous êtes devrait comprendre que les mots possèdent toutes sortes de significations. Nous n'avons pas besoin de vaincre nos maîtres étrangers pour nous libérer de leur domination. N'est-ce pas assez poétique pour vous ?

— C'est admirable, répondit l'envahisseur en se levant. Et maintenant, si nous passions à table ?

7

Il ne fut plus question de revenir sur ce sujet. Il est difficile de débattre de philosophie quand on banquette et notre amphytrion ne paraissait pas apprécier ces analyses des destinées de la Terre. Dès qu'il eut découvert qu'Olmayne avait été Souvenante avant de prendre l'habit de Pèlerin, l'envahisseur ne s'adressa pour ainsi dire plus qu'à elle, l'interrogeant sur notre histoire et sur la vieille poésie de chez nous. Comme il en allait de la plupart des conquérants, notre passé excitait prodigieusement sa curiosité. Peu à peu, Olmayne sortit de son mutisme et évoqua longuement les recherches qu'elle avait conduites à Perris. Elle dissertait avec aisance des mystères de notre histoire et Earthclaim l'interrompait parfois par une question intelligente et pertinente. Pendant ce temps, nous dégustions des mets provenant de bien des mondes, gourmandises peut-être importées par le gros marchand à la morale élastique qui nous avait emmenés à Marsay. Il faisait frais dans la villa, les Serviteurs étaient attentionnés. Le malheureux village frappé par le fléau, à une demi-heure de marche, aurait aussi bien pu être dans une autre galaxie tant il était loin de nos propos.

Quand nous prîmes congé, au matin, le Chirurgien nous pria de lui permettre de faire route avec nous.

— Je ne peux rien faire de plus ici, nous expliqua-t-il. Je suis venu de Nayrub dès que l'épidémie s'est déclarée et je suis resté des jours et des jours, plus pour consoler que pour guérir, naturellement. Mais je suis attendu à Jorslem. Toutefois, si en acceptant que je vous accompagne vous deviez violer vos vœux...

— Mais non, venez donc, lui répondis-je.

— Nous aurons un compagnon de plus.

C'était au troisième personnage que nous avions rencontré dans le village qu'il faisait allusion, l'énigmatique extra-terrestre dont nous n'avions pas encore entendu le son de la voix. Plat et apiciforme, un peu plus grand qu'un homme, il possédait un jeu de jambes angulaires formant comme un trépied et était originaire de la Spirale d'Or. Il avait une peau râpeuse d'un rouge éclatant et les trois pans coupés de sa tête effilée étaient garnis de rangées d'yeux verticaux et hyalins. Je n'avais encore jamais vu une pareille créature. D'après le Chirurgien, il était en mission d'information et avait déjà amplement sillonné Aïs et Stralya. Pour l'heure, il visitait les contrées riveraines du lac Médit. Après avoir vu Jorslem, il devait faire la tournée des grandes cités d'Eyrope. Solennel, ne se départant en aucun cas d'une attention qui vous mettait mal à l'aise sans que jamais ses multiples yeux clignassent, sans jamais proférer le moindre commentaire, il ressemblait plus à une bizarre machine, à un absorbeur de données de silo mémoriel qu'à un être vivant. Mais il était inoffensif et il n'y avait pas d'inconvénient à ce qu'il nous accompagne jusqu'à la cité sainte.

Le Chirurgien fit ses adieux à son ami l'Elfon qui, nous abandonnant, se rendit une dernière fois au village cristallisé. Nous l'attendîmes car nous n'avions aucune raison d'y retourner. Quand il nous rejoignit, il était sombre.

— Il y a quatre nouveaux cas. La population va périr jusqu'au dernier homme. Une épidémie aussi concentrée ne s'était encore jamais vue sur Terre.

— C'est donc quelque chose d'inédit ? fis-je. S'étendra-t-elle partout ?

— Qui peut le savoir ? Dans les villages voisins, personne n'a été atteint. Une bourgade totalement ravagée et rien ailleurs ! C'est sans exemple. Les pauvres gens y voient une punition divine pour des péchés inconnus.

— Qu'auraient pu faire des paysans pour attirer sur leurs têtes une si cruelle vengeance de la Volonté ?

— C'est également la question qu'ils se posent, dit le Chirurgien.

Olmayne intervint :

— Si de nouveaux cas sont apparus, notre visite d'hier a été vaine. Nous avons risqué nos vies pour rien.

— C'est inexact, rétorqua le Chirurgien. A votre arrivée, les nouveaux malades étaient en état d'incubation. On peut espérer que ceux qui n'étaient pas encore contaminés seront épargnés.

Mais il semblait manquer d'assurance.

Chaque jour, Olmayne s'examinait, guettant les premiers symptômes du mal mais aucun ne se manifestait. Elle harcelait le Chirurgien, lui demandant son opinion sur telle ou telle tache, réelle ou imaginaire, sur sa peau, ôtant son masque — ce qui embarrassait fort le malheureux — afin qu'il détermine si tel petit bouton sur son visage n'était le signe avant-coureur de la cristallisation.

Mais notre ami prenait les choses de bonne grâce car, si l'extra-terrestre était comme inexistant, il était, lui, un homme profond, patient et sagace. Fricain d'origine, il avait été voué dès sa naissance à la confrérie chirurgienne par son père, car la médecine était une tradition de famille. Ayant beaucoup voyagé, il connaissait toute la planète et n'avait presque rien oublié de ce qu'il avait vu. Il nous parlait de Roum et de Perris, des champs de fleurs de givre de Stralya, du groupe d'îles des continents perdus où j'avais vu le jour. Il nous interrogeait avec tact sur nos pierres d'étoile et sur les effets qu'elles déterminaient — il mourait visiblement d'envie d'en faire personnellement l'essai mais c'était évidemment interdit à quiconque n'était pas un Pèlerin — et quand il sut que j'avais jadis été Guetteur, il me posa une multitude de questions sur les instruments avec lesquels je fouillais les cieux. Il voulait savoir ce que je percevais et comment j'imaginais que s'effectuaient les perceptions. Je lui répondais de mon mieux mais, en toute franchise, c'était un sujet sur lequel j'avais peu de lumières.

En principe, nous ne nous écartions pas de la bande de terre fertile et verdoyante qui borde le lac mais un jour, cédant aux instances du Chirurgien, nous nous enfonçâmes dans la chaleur suffocante du désert afin de voir une chose qui, nous promettait-il, ne manquerait pas de nous intéresser. Mais il ne voulut pas nous dire de quoi il s'agissait. Nous avions loué un char à patins découvert et les rafales de vent de sable nous giflaient.

Les grains n'adhéraient pas aux yeux de l'extra-terrestre d'où ruisselaient à intervalles rapprochés des larmes bleues qui les nettoyaient. Nous autres, en revanche, enfouissions notre figure dans nos vêtements à chaque bourrasque.

— Nous sommes arrivés, annonça enfin le Chirurgien. Il y a longtemps que je suis venu ici. Je voyageais avec mon père. Nous allons entrer et toi qui as été Souvenante tu nous diras où nous sommes, acheva-t-il à l'adresse d'Olmayne.

C'était un bâtiment de brique et de verre blanc de deux étages. Les portes semblaient hermétiquement scellées mais une infime pression suffit à les faire céder. Des lampes s'allumèrent dès que nous fûmes entrés.

Le long des travées où un peu de sable s'était déposé, s'alignaient des tables sur lesquelles étaient fixés des appareils dont la destination m'échappait totalement. Il y avait des intruments en forme de mains où l'on pouvait glisser les siennes; de ces étranges gants de métal partaient des tubulures aboutissant à d'étincelantes armoires closes et des systèmes de miroirs transmettaient à des écrans géants l'image de l'intérieur de ces armoires. Le Chirurgien enfonça sa main dans un gant et remua les doigts. Les écrans s'éclairèrent et je pus y voir osciller de minuscules aiguilles. Il s'approcha d'autres machines d'où s'égouttaient des liquides mystérieux, effleura de petits boutons qui déclenchaient des sonorités musicales, allant et venant familièrement au milieu de ces merveilles techniques indéniablement anciennes qui avaient l'air d'être toujours en état de marche et d'attendre le retour des opérateurs.

Olmayne nageait dans l'extase. Elle ne quittait pas le Chirurgien d'un pouce, elle touchait tous les instruments.

— Eh bien, Souvenante, qu'est-ce que c'est? lui demanda-t-il enfin.

— Une clinique, répondit-elle à mi-voix. Une Clinique des Années de la Magie!

— Exactement! Bravo! (Le Chirurgien semblait curieusement surexcité.) On fabriquait ici des monstres stupéfiants! On faisait des miracles! Des Volants, des Nageants, des Elfons, des

Voluteux, des Ardents, des Grimpants... on inventait des confréries, on modelait les hommes à sa fantaisie! Ici!

— On m'a décrit ces Cliniques. Il en subsiste six, n'est-ce pas? Une en Eyrope septentrionale, une à Palash, une au sud de la Frique profonde, une en Aïs occidentale...

Elle hésita.

— Et une en Hind, la plus grande de toutes!

— Mais oui, bien sûr! En Hind, le berceau des Volants!

Leur exaltation était contagieuse.

— C'était donc ici que l'on modifiait les structures humaines? Comment s'y prenait-on? m'enquis-je.

Le Chirurgien haussa les épaules.

— C'est un art oublié. Les Années de la Magie sont bien loin, vieillard.

— Oui, je sais, je sais. Mais si le matériel a survécu, on doit sûrement pouvoir deviner...

— Ces scalpels taillaient dans les tissus de l'enfant à naître afin de rectifier la semence humaine. Le Chirurgien mettait ses mains ici (il fit la démonstration) et les bistouris faisaient leur œuvre dans cet incubateur. Il en sortait des Volants — et tous les autres. Certaines des formes ainsi créées sont aujourd'hui éteintes mais c'est à des établissements semblables à celui-là que nos Elfons doivent leur patrimoine génétique. Ils sont, évidemment, le résultat d'erreurs commises par les Chirurgiens. On n'aurait jamais dû les laisser vivre.

— Je croyais que ces monstres étaient le produit de l'action de drogues tératogènes affectant l'embryon. Et vous me dites qu'ils sont l'œuvre de la Chirurgie. Laquelle des deux réponses est la vraie?

— Les deux. Les Elfons actuels sont issus des malfaçons des Chirurgiens des Années de la Magie. Toutefois, les mères de ces malheureux ont souvent accentué à l'aide de drogues les difformités de leur progéniture pour augmenter la valeur vénale de leurs enfants. C'est une espèce infortunée, et pas seulement du fait de leur aspect physique. Il n'est pas surprenant qu'on ait dissous leur confrérie et qu'on les ait rejetés au ban de la société. Nous...

Quelque chose de brillant siffla à travers les airs, manquant d'un cheveu la tête du Chirurgien qui se jeta à plat ventre et nous cria de nous mettre à couvert. Au même moment, j'aperçus un second projectile. L'extra-terrestre, toujours attentif à tous les événements, l'examina avec impassibilité pendant les quelques instants qui lui restaient à vivre. L'objet le heurta de plein fouet et son corps fut sectionné net. D'autres projectiles continuaient de pleuvoir, tintant contre le mur qui se trouvait derrière nous. Je vis alors nos assaillants : une bande d'Elfons aussi féroces que hideux. Nous n'avions pas d'armes. Ils avancèrent et je me préparai à mourir.

Une voix familière retentit, proférant les étranges vocables pâteux qui étaient l'idiome des Elfons et le calme s'établit instantanément. Ceux qui nous menaçaient se tournèrent vers la porte et Bernalt entra.

— J'ai vu votre véhicule, nous dit-il. J'ai pensé que vous étiez là et que vous aviez peut-être des ennuis. J'ai l'impression d'être arrivé à temps.

— Pas tout à fait, répondit le Chirurgien en désignant du doigt l'extra-terrestre qui gisait sur le sol et pour qui il n'y avait plus rien à faire. Mais pourquoi cette attaque?

Bernalt désigna nos agresseurs.

— Ce sont eux qui vont vous le dire.

Nous regardâmes les cinq Elfons qui nous avaient tendu l'embuscade. Ce n'étaient pas des êtres éduqués et civilisés comme Bernalt et il n'y en avait pas deux qui se ressemblaient. Chacun d'entre eux était une caricature gauchie et dénaturée de la forme humaine. L'un avait au bout du menton des tentacules visqueux, un autre un visage lisse et plat entièrement dépourvu de traits, le troisième des timbales géantes en guise d'oreilles et le reste à l'avenant. Ce fut celui qui était le plus près de nous, une créature dont le corps était hérissé de milliers de petites crêtes, qui nous expliqua la raison de l'attaque dont nous avions été l'objet : usant d'un grossier dialecte ogyptien, il nous apprit que nous avions profané un temple tenu pour sacré par ses pareils.

— Nous n'allons pas à Jorslem. Pourquoi êtes-vous venus ici ?

Évidemment, il avait raison. Nous implorâmes leur pardon avec toute la sincérité possible. Le Chirurgien ajouta qu'il était venu autrefois en ce lieu et que ce n'était pas un lieu de culte à cette époque. L'argument apaisa l'Elfon qui convint que l'endroit n'avait été converti en temple que depuis peu de temps. Il s'adoucit encore davantage lorsque Olmayne ouvrit l'ultrapoche fixée entre ses seins et distribua à nos agresseurs quelques pièces d'or, une partie du trésor qu'elle transportait depuis Perris. Réconciliées, les étranges et difformes créatures nous laissèrent alors sortir. Nous aurions volontiers emporté le cadavre de l'étranger mais, pendant ces palabres, il s'était presque entièrement évanoui : seule une légère tache sur le sable grisâtre indiquait l'endroit où il était tombé.

— Un enzyme mortuaire, commenta le Chirurgien, que la cessation des processus vitaux active.

D'autres membres de cette communauté elfonne du désert flânaient à l'extérieur. Une vraie tribu de cauchemar : toutes les textures et toutes les teintes de peau imaginables, des traits disposés au petit bonheur, toutes sortes d'improvisations génétiques au niveau des organes et des accessoires corporels. Bien qu'il fût de la même lignée, Bernalt avait l'air épouvanté par la monstruosité de ses frères qui le regardaient avec une crainte respectueuse. Quand nous émergeâmes de l'édifice, quelques-uns caressèrent les armes de jet qui se balançaient à leur hanche mais Bernalt lança un ordre sec et il n'y eut pas d'incident.

— Je regrette le traitement qui vous a été infligé et le décès de l'extra-terrestre, nous dit-il. Mais il est dangereux de pénétrer dans des lieux que des gens rétrogrades et violents considèrent comme sacrés.

— Nous l'ignorions, fit le Chirurgien. Nous ne serions jamais entrés si nous avions pensé...

— Bien sûr, bien sûr ! (Je me demandai s'il n'y avait pas quelque condescendance dans le ton aimable et civilisé de l'Elfon.) Eh bien, je vous fais une fois encore mes adieux.

— Non, m'écriai-je. Viens à Jorslem avec nous! Il est ridicule de voyager chacun de son côté quand on a la même destination.

Olmayne crut s'étrangler. Le Chirurgien lui-même avait l'air abasourdi. Seul Bernalt conserva son calme.

— Tu oublies, ami, qu'il est malséant que les Pèlerins voyagent en compagnie de hors-confrérie. De plus, je suis venu ici pour me prosterner en ce sanctuaire et mes dévotions prendront un certain temps. Je m'en voudrais de vous retarder.

Il me tendit la main puis fit demi-tour et disparut à l'intérieur de l'antique Clinique. Les autres Elfons se ruèrent à sa suite. Je lui fus reconnaissant d'avoir fait montre d'autant de tact. Il lui était impossible d'accepter la proposition impulsive, encore que sincère, que je lui avais faite.

Nous remontâmes à bord de notre véhicule et, bientôt, un affreux vacarme s'éleva : c'étaient les Elfons qui chantaient un hymne discordant en l'honneur d'une divinité que je n'osais même pas imaginer, une mélopée grinçante, stridente, cacophonique, aussi contrefaite qu'eux.

— Quelles brutes! murmura Olmayne. Un autel consacré! Un temple pour Elfons! Quelle horreur! Ils auraient pu nous massacrer, Tomis. Comment des monstres de cet acabit peuvent-ils avoir une religion?

Je ne répondis rien. Le Chirurgien lui lança un coup d'œil attristé et secoua la tête comme s'il était désolé que quelqu'un qui se prétendait un Pèlerin eût si peu de charité.

— Ce sont aussi des humains, dit-il.

A la halte suivante, nous signalâmes la mort de l'extraterrestre aux autorités d'occupation puis, mornes et silencieux, nous poursuivîmes notre route jusqu'au point où la côte remonte vers le nord. Laissant l'Ogypte léthargique derrière nous, nous franchîmes la frontière du pays où s'élève la cité sainte de Jorslem.

8

La cité de Jorslem est située à l'intérieur des terres à bonne distance du lac Médit. Elle se dresse sur un plateau agréablement frais cerné de faibles hauteurs nues et rocailleuses. C'était comme si je m'étais préparé toute ma vie à voir enfin la ville d'or dont je connaissais si bien l'aspect, de sorte que lorsque j'aperçus ses tours et ses remparts, à l'est, l'impression qui dominait en moi était moins un sentiment de crainte respectueuse que celui d'un retour au foyer.

Une route sinueuse serpentait à travers les collines jusqu'à la cité dont les murailles étaient faites de splendides blocs de pierre carrés d'un rose doré, tout comme les maisons et les sanctuaires. Ce n'étaient pas des arbres d'étoile qui la bordaient mais d'authentiques arbres de la Terre ainsi qu'il convenait à la plus ancienne des cités humaines, plus ancienne que Roum, plus ancienne que Perris, profondément enracinée dans le terreau du premier cycle.

Les envahisseurs avaient eu l'intelligence de ne pas prendre eux-mêmes en main l'administration de Jorslem. Celle-ci demeurait soumise à l'autorité du maître de la confrérie des Pèlerins auquel les conquérants devaient s'adresser pour être autorisés à entrer. C'était, bien sûr, purement une question de forme : le maître de confrérie, à l'instar du chancelier des Souvenants et autres officiels de la même farine, était en vérité un fantoche dont l'envahisseur tirait les ficelles. Mais cette réalité n'était pas apparente. Par la grâce de l'occupant, notre cité sainte jouissait d'un statut particulier et l'on ne rencontrait pas de patrouilles armées se pavanant dans les rues.

Nous demandâmes cérémonieusement à la Sentinelle de faction à la poterne la permission de passer. Bien que, partout ailleurs, la plupart des Sentinelles fussent réduites au chômage — l'accès des villes étant libre par ordre de nos maîtres —, celle-ci, accoutrée de tout l'attirail de sa confrérie, tint à respecter scrupuleusement la procédure. En tant que Pèlerins, nous avions automatiquement le droit d'entrer, Olmayne et moi, mais nous dûmes montrer nos pierres d'étoile, preuve que notre robe et notre masque n'étaient pas d'emprunt. Puis la Sentinelle coiffa un bonnet à pensées pour vérifier notre identité auprès des archives de la confrérie. Finalement, nous fûmes admis. Pour notre compagnon le Chirurgien, les formalités furent plus simples. Il avait sollicité d'avance l'autorisation et il fut admis à son tour dès que son identité eut été vérifiée.

Tout ce qui se trouvait à l'intérieur des murs remontait visiblement à une haute antiquité. Jorslem est la seule cité au monde où l'architecture du premier cycle a été aussi bien conservée. Ce ne sont pas seulement des colonnes rompues et des aqueducs en ruine comme à Roum mais des rues entières, des arcades couvertes, des tours, des boulevards qui ont survécu aux bouleversements de l'histoire. Nous errâmes avec émerveillement à travers ce singulier décor, longeant des artères caillouteuses, nous enfonçant dans d'étroites venelles où enfants et mendiants se bousculaient, traversant des marchés embaumant le parfum des épices.

Après avoir ainsi déambulé une heure, nous jugeâmes qu'il était temps de nous mettre en quête d'un logement et force nous fut de quitter le Chirurgien. En effet, une hôtellerie pour Pèlerins ne l'aurait pas accepté et nous installer ailleurs aurait été une coûteuse folie pour Olmayne et moi. Nous l'accompagnâmes à l'auberge où il avait retenu une chambre. Je le remerciai de l'amabilité dont il avait fait preuve au cours de notre voyage, il me remercia tout aussi solennellement en formulant le vœu que nous nous revoyions dans les jours à venir et nous nous séparâmes. L'un des nombreux établissements spécialisés dans la clientèle des Pèlerins nous loua des chambres, à Olmayne et à moi.

Jorslem a pour seule vocation d'accueillir les Pèlerins et d'occasionnels touristes de sorte que ce n'est en réalité qu'un vaste caravansérail. On y rencontre dans les rues autant de Pèlerins en robe que de Volants en Hind. Après avoir pris un peu de repos, nous nous restaurâmes et sortîmes. Nous nous dirigeâmes vers une large avenue d'où l'on pouvait voir, à l'est, la ville intérieure, la partie la plus sacrée de la cité. C'est une ville dans la ville. Le quartier le plus ancien, si petit qu'il faut moins d'une heure pour le traverser de bout en bout à pied, est enfermé derrière de hauts murs. C'est là que sont rassemblés les sanctuaires vénérés par les vieilles religions de la Terre — les christiens, les hébroux, les mislams. On prétend que le lieu où mourut le dieu des christiens se trouve là mais c'est peut-être une légende déformée par le temps car un dieu qui meurt, cela dépasse l'entendement. Dans un coin de la vieille ville se dresse un dôme doré, sacré pour les mislams et qu'entretient avec soin le petit peuple de Jorslem. Il est bâti sur une hauteur devant laquelle se dresse le mur de grosses pierres grises qu'adoraient les hébroux. Ces choses demeurent mais l'idée qu'elles concrétisaient s'est évanouie. Quand j'étais parmi les Souvenants, je n'avais jamais rencontré un seul érudit capable de m'expliquer quel mérite il y a à rendre un culte à un mur ou à un dôme d'or. Et pourtant, les anciens documents sont formels : ces trois croyances du premier cycle furent d'une grande profondeur et d'une grande richesse.

La vieille ville comportait aussi un édifice du second cycle qui offrait à nos yeux un intérêt beaucoup plus immédiat. Comme nous contemplions l'enceinte sacrée dans le crépuscule, Olmayne me dit :

— Il faudra nous inscrire demain à la maison du renouvellement.

— Je suis d'accord. J'aspire, maintenant, à être soulagé du poids de quelques années.

— Est-ce que ma requête sera acceptée, Tomis ?

— A quoi bon se tracasser ? Nous nous présenterons, nous ferons notre demande et tu sauras alors à quoi t'en tenir.

Je n'entendis pas sa réponse car, au même instant, trois Volants passèrent dans l'air au-dessus de nos têtes. Ils étaient nus conformément aux usages de leur confrérie et la Volante qui était au centre du groupe, svelte, délicate, tout en ailes et en os, évoluait avec une grâce exceptionnelle même pour ces créatures aériennes.

— *Avluela!* balbutiai-je.

Le trio ailé disparut à l'est derrière les remparts de la vieille ville. Médusé et tremblant, je me cramponnai à un arbre pour ne pas perdre l'équilibre et m'efforçai de recouvrer mon souffle.

— Qu'as-tu, Tomis? demanda Olmayne. Tu es malade?

— C'était Avluela, j'en suis sûr. Ils ont dit qu'elle était retournée en Hind mais non... c'était elle! Comment aurais-je pu la confondre avec quelqu'un d'autre?

— Depuis que nous avons quitté Perris, tu répètes le même refrain chaque fois que tu vois une Volante ou presque, répliqua-t-elle sèchement.

— Aujourd'hui, je suis certain! Où y a-t-il un bonnet à pensées? Il faut que je m'informe tout de suite auprès de la loge des Volants.

Olmayne posa la main sur mon bras.

— Il est tard, Tomis. Quelle fébrilité! Pourquoi, d'ailleurs, t'exciter tellement à propos de ta maigrichonne de Volante? Qu'était-elle pour toi?

— Elle...

Je me tus, incapable de formuler ma pensée. Olmayne connaissait mon histoire, elle savait comment j'étais parti d'Ogypte avec Avluela, comment le vieux Guetteur célibataire que j'étais s'était pris pour elle d'une sorte d'affection paternelle et avait peut-être éprouvé à son égard un sentiment plus fort, comment elle m'avait préféré Gormon, le faux Elfon, et comment le prince de Roum l'avait à son tour enlevée à Gormon.

Mais qu'était Avluela pour moi? Pourquoi le simple fait d'avoir entr'aperçu une Volante qui était peut-être elle m'avait-il mis dans tous mes états? J'avais beau fouiller mon esprit en ébullition, je ne trouvais pas de réponse.

— Rentrons à l'auberge et repose-toi, Tomis. Demain, nous irons à la maison du renouvellement.

Mais je commençai par coiffer un bonnet à pensées et entrai en contact avec la loge des Volants. Mes pensées se faufilèrent à travers l'intersurface de protection du cerveau-magasin de la confrérie, je posai ma question et il me fut répondu. La Volante Avluela était effectivement à Jorslem.

— Transmettez-lui ce message : Le Guetteur avec lequel elle est allée à Roum est aussi à Jorslem sous l'habit de Pèlerin. Il désire lui fixer un rendez-vous demain à midi devant la maison du renouvellement.

Cela fait, nous regagnâmes l'auberge. Olmayne était maussade et taciturne. Dans ma chambre, lorsqu'elle enleva son masque, son visage était dur. Était-elle jalouse ? Oui. Elle voyait en tout homme un vassal, même un vieillard décrépit comme moi, et l'idée qu'une autre femme était capable de faire naître en moi un si brûlant brasier lui était intolérable. Je sortis ma pierre d'étoile. Tout d'abord, elle ne voulut pas entrer en communion. Ce ne fut que lorsque j'eus commencé à réciter les formules rituelles qu'elle capitula. Mais elle était tellement crispée que nous ne pûmes ni l'un ni l'autre nous immerger dans la Volonté. Nous restâmes une demi-heure plantés l'un en face de l'autre, moroses, avant de renoncer et de nous séparer pour la nuit.

9

On doit se rendre seul à la maison du renouvellement. Je me réveillai à l'aube, accomplis une brève communion avec plus de succès que la veille et quittai l'auberge à jeun, sans Olmayne. Une demi-heure plus tard, j'atteignis le mur doré de la vieille ville et il me fallut encore une demi-heure pour la traverser en empruntant tout un dédale de ruelles. Je passai devant la muraille grise si chère au cœur des anciens hébroux et gravis la pente du haut lieu. Après avoir longé le dôme étincelant des mislams évanouis, je tournai à gauche et m'intégrai à la file des Pèlerins qui déjà à cette heure matinale se dirigeaient vers la maison du renouvellement.

C'est une construction du second cycle, époque à laquelle fut conçu le procédé de jouvence. De toutes les sciences de cette ère, seule celle du renouvellement nous est parvenue à peu près telle qu'on la pratiquait alors. Comme tous les autres témoins architecturaux du second cycle qui ont survécu, c'est un édifice souple et poli, aux courbes habiles et à la texture lisse qui ne possède ni fenêtres ni décorations extérieures. En revanche, il a de nombreuses portes. Je choisis l'entrée la plus à l'est et fus admis au bout d'une heure d'attente.

Je fus accueilli par un membre de la confrérie des Réjuvants en robe verte — c'était le premier qu'il m'était donné de rencontrer. On recrute exclusivement les Réjuvants chez les Pèlerins qui sont disposés à passer toute leur vie à Jorslem pour aider les autres à parvenir au renouvellement. La structure administrative de cette confrérie est analogue à celle des Pèlerins : un maître unique préside aux destinées de l'une comme de l'autre. Même la tenue des Réjuvants et des Pèlerins est identique, sauf pour la couleur. Ils appartiennent en fait à la même confrérie et représentent des degrés différents d'une même affiliation.

La voix du Réjuvant était aimable et joyeuse.

— Sois le bienvenu en cette demeure, Pèlerin. Qui es-tu et d'où viens-tu ?

— Je suis le Pèlerin Tomis, ex-Tomis des Souvenants. Auparavant, j'étais Guetteur et je suis né sous le nom de Wuellig. Natif des continents perdus, j'ai beaucoup voyagé avant et après mon départ en Pèlerinage.

— Que cherches-tu ici ?

— Le renouvellement et la rédemption.

— Puisse la Volonté exaucer tes vœux. Suis-moi.

Il me conduisit par un passage faiblement éclairé à une petite cellule aux murs de pierre et me dit d'ôter mon masque, de me mettre en communion et d'attendre. Je me débarrassai donc de la grille de bronze et étreignis ma pierre d'étoile. La sensation familière de l'état de communion s'empara de moi mais sans qu'il y eût union avec la Volonté. Au lieu de cela, j'éprouvai le contact spécifique d'un autre esprit humain. J'en fus désorienté mais ne résistai pas.

Quelque chose sondait mon âme, en extrayant tout ce qu'elle contenait comme pour le déposer sur le sol afin de l'inspecter : les actes d'égoïsme que j'avais commis, mes lâchetés, mes faiblesses et mes défaillances, mes doutes, mes désespoirs et, surtout, mon méfait le plus honteux — la livraison du document à l'envahisseur. Contemplant tous ces manques, je sus que je n'étais pas digne du renouvellement. On pouvait dans cette maison doubler ou tripler la durée de l'existence des gens. Mais pourquoi les Réjuvants prodigueraient-ils leurs bienfaits à quelqu'un qui ne les méritait pas?

Je restai longtemps face à face avec mes péchés. Enfin, le contact fut rompu et un autre Réjuvant, un personnage d'une stature remarquable, entra dans ma cellule.

— La miséricorde de la Volonté est sur toi, ami, dit-il en tendant des doigts d'une longueur extraordinaire pour effleurer le bout des miens.

En entendant cette voix grave et à la vue de ces doigts blancs, je reconnus l'homme avec qui j'avais eu un bref entretien devant les portes de Roum avant la défaite. Il était alors Pèlerin et m'avait invité à faire le voyage de Jorslem en sa compagnie mais j'avais décliné l'offre car l'appel de Roum était le plus fort.

— Ton Pèlerinage a-t-il été aisé? lui demandai-je.

— Il a été enrichissant. Et toi? A ce que je vois, tu n'es plus Guetteur.

— Je suis entré cette année dans ma troisième confrérie.

— Ce ne sera pas la dernière. Une quatrième t'attend.

— Je te rejoindrai donc chez les Réjuvants?

— Ce n'est pas à cette confrérie que je faisais allusion, ami Tomis. Mais nous en reparlerons lorsque tu seras allégé de quelques années. J'ai la joie de t'annoncer que ta demande de renouvellement a été approuvée.

— Malgré tous mes péchés?

— A cause de tes péchés tels qu'ils sont. Tu entreras demain à l'aube dans le premier bac de jouvence. Ce sera moi qui te guiderai vers ta seconde naissance. Je suis le Réjuvant Talmit. Maintenant, va-t'en. Quand tu reviendras, demande-moi.

— J'aurais une question à te poser...

— Oui ?

— J'ai effectué mon Pèlerinage en compagnie d'une femme, Olmayne, autrefois Souvenante à Perris. Peux-tu me dire si sa candidature a également été acceptée ?

— Je ne sais rien de cette Olmayne.

— Elle n'est pas bonne. Elle est vaniteuse, arrogante et cruelle. Pourtant, je crois qu'elle peut encore être sauvée. Peux-tu faire quelque chose en sa faveur ?

— Je n'ai pas d'influence en ce domaine. Elle devra affronter l'interrogatoire comme tout le monde. Néanmoins, sache ceci : la vertu n'est pas le seul critère du renouvellement.

Il me raccompagna. Un soleil froid baignait de lumière la cité. J'étais vidé, épuisé, trop exténué même pour me sentir heureux d'avoir été accepté. Il était midi et je me rappelai soudain mon rendez-vous avec Avluela. Je fis le tour de la maison du renouvellement avec une anxiété grandissante. Viendrait-elle ?

Elle attendait devant l'édifice à côté d'un chatoyant monument du second cycle. Veste écarlate, jambières de fourrure, les pieds chaussés de bulles transparentes, la bosse éloquente — je reconnus de loin une Volante et j'appelai :

— Avluela !

Elle se retourna. Elle était pâle, mince et paraissait encore plus jeune que lorsque je l'avais vue pour la dernière fois. Du regard, elle chercha mon visage mais j'avais remis mon masque et elle fut déroutée.

— Guetteur ? C'est toi, Guetteur ?

— Appelle-moi Tomis, à présent. Mais je suis toujours celui que tu as connu en Ogypte et à Roum.

— Guetteur ! Oh Guetteur ! *Tomis.* (Elle se jeta dans mes bras.) Que ça a été long ! Il s'est passé tant de choses ! (Elle rayonnait, maintenant, et ses joues perdaient leur pâleur.) Viens ! On va chercher une taverne pour parler ! Comment as-tu su que j'étais à Jorslem ?

— Par ta confrérie. Je t'ai vue passer hier soir.

— Je suis arrivée cet hiver. Je suis restée quelque temps en

Fars sur la route d'Hind et puis j'ai changé d'avis. Il ne pouvait plus y avoir de retour au bercail pour moi. Actuellement, j'habite près de Jorslem et j'aide à... (Elle laissa sa phrase en suspens.) Es-tu qualifié pour le renouvellement, Tomis ?

Tournant le dos au haut lieu, nous redescendions vers une partie plus modeste de la cité intérieure.

— Oui, je vais redevenir jeune. Mon guide est le Réjuvant Talmit. Nous avons fait sa connaissance devant les portes de Roum quand il était Pèlerin. Tu te souviens ?

Elle l'avait oublié. Nous nous installâmes dans un patio en plein air attenant à une taverne et des Serviteurs nous apportèrent à manger et à boire. La gaieté d'Avluela était contagieuse et sa seule présence me donnait déjà l'impression de rajeunir. Elle évoqua la fin catastrophique de son séjour à Roum quand elle avait été amenée au palais pour être la concubine du prince et l'instant terrible où, la nuit de la défaite, l'Elfon Gormon avait vaincu Enric, révélant qu'il était en réalité un envahisseur déguisé et arrachant au prince vaincu à la fois son trône, sa maîtresse et la vue.

— Est-il mort, Tomis ?

— Oui, mais pas à cause de ses yeux crevés.

Je lui racontai comment l'orgueilleux monarque avait fui en se faisant passer pour un Pèlerin, comment je l'avais accompagné à Perris et comment, lorsque nous avions trouvé asile chez les Souvenants, il avait eu une aventure avec Olmayne, comment le mari l'avait tué avant d'être tué à son tour par sa propre femme.

— J'ai aussi vu Gormon à Perris, ajoutai-je. Il se fait appeler Victorious Treize, maintenant, et c'est un conseiller écouté de l'envahisseur.

Avluela sourit.

— Nous ne sommes pas restés très longtemps ensemble après la conquête, Gormon et moi. Il voulait visiter l'Eyrope. Nous sommes allés à Donsk et en Sved et, là, j'ai cessé de l'intéresser. C'est à ce moment que j'ai pensé que je devais retourner en Hind mais, par la suite, j'ai changé d'avis. Quand commence ton renouvellement ?

— Demain à l'aube.

— Oh! Tomis! Comment cela sera-t-il lorsque tu seras jeune? Savais-tu que je t'aimais? Quand nous voyagions, quand je partageais le lit de Gormon, quand j'étais la maîtresse du prince, c'était toi et toi seul que je voulais! Seulement, tu étais Guetteur et c'était impossible. Et puis, tu étais si vieux! Maintenant, tu n'es plus Guetteur, bientôt, tu auras cessé d'être un vieil homme, et... (Elle posa sa main sur la mienne.) Je n'aurais jamais dû te quitter. Si nous étions restés ensemble, beaucoup de souffrances nous auraient été épargnées.

— La souffrance nous apprend bien des choses.

— Oui. C'est vrai. Combien de temps prendra ton renouvellement?

— Le temps habituel... que je ne connais pas.

— Et après, que feras-tu? Quelle confrérie choisirais-tu? Tu ne peux plus être Guetteur, désormais.

— Non et Souvenant pas davantage. Mon guide Talmit m'a parlé d'une autre confrérie dont il n'a pas voulu me dire le nom. Il avait l'air de tenir pour acquis que je la rejoindrais une fois rajeuni. J'ai cru qu'il entendait par là que je resterais à Jorslem et que je m'affilierais aux Réjuvants. Mais non, il s'agit d'une autre confrérie.

— Ce ne sont pas les Réjuvants, murmura-t-elle en se serrant contre moi. Ce sont les Rédempteurs.

— Les Rédempteurs? Je ne connais pas cette confrérie.

— Sa fondation est toute récente.

— Aucune nouvelle confrérie n'a été créée depuis plus de...

— C'est d'elle que le guide Talmit parlait. Tu serais une recrue de choix. Grâce aux talents que tu as développés quand tu étais Guetteur, tu serais d'une utilité exceptionnelle.

— Les Rédempteurs? répétai-je, intrigué. Quelle est la fonction de cette confrérie?

Avluela me décocha un sourire enjoué :

— Elle porte secours aux âmes en peine et sauve les mondes malheureux. Mais le moment n'est pas venu de parler de cela. Quand tu auras fait ce que tu as à faire à Jorslem, tout sera éclairci. (Nous nous levâmes. Ses lèvres effleurèrent les miennes.) C'est la dernière fois que je te vois sous l'apparence d'un vieillard. Comme ce sera étrange quand tu seras renouvelé, Tomis!

Sur ces mots, elle s'éclipsa.

En fin d'après-midi, je rentrai à l'auberge. Olmayne n'était pas dans sa chambre. Un Serviteur me dit qu'elle avait été absente toute la journée. J'attendis jusqu'à une heure tardive, puis entrai en communion et me couchai.

Au petit matin, je fis halte devant sa porte. Elle était close. Alors, je me rendis en hâte à la maison du renouvellement.

10

Le Réjuvant Talmit me fit entrer et me guida le long d'un couloir de céramique verte jusqu'au premier bac.

— La femme Pèlerin Olmayne, m'annonça-t-il, a été acceptée. Elle doit se présenter dans la journée.

Beaucoup de temps allait s'écouler avant que j'entende à nouveau prononcer le nom d'un autre être humain. Talmit me fit entrer dans une petite pièce humide et basse de plafond qu'éclairaient faiblement des globules de lumière asservie et où régnait une vague odeur de fleurs de mort écrasées. On me débarrassa de ma robe et de mon masque, et le Réjuvant me posa sur la tête une sorte de fine résille de métal doré dans laquelle il fit passer un courant. Lorsqu'il l'enleva, je n'avais plus de cheveux et mon crâne était aussi poli que les murs de céramique qui m'entouraient.

— Cela facilite l'insertion des électrodes, m'expliqua-t-il. Tu peux entrer dans le bac, maintenant.

Une rampe en pente douce permettait d'atteindre à une sorte de baignoire de dimensions modestes. Mes pieds s'enfoncèrent dans une espèce de boue tiède et glissante. Talmit opina du chef. C'était, m'informa-t-il, une boue régénératrice irradiée, destinée à stimuler la division cellulaire qui me rajeunirait. Je m'allongeai dans le bac, ne gardant que la tête hors du fluide violet et miroitant qu'il contenait. La boue m'enveloppait comme un berceau et caressait mon corps las. Talmit brandit un objet qui ressemblait à un fouet fait de lanières de cuivre enchevêtrées mais quand elles touchèrent mon crâne chauve, elles s'écartèrent de façon quasi spontanée et ces fils — car c'étaient des fils — s'enfoncèrent à travers l'os pour entrer en contact avec la masse grise et plissée qu'il dissimulait. Je ne sentais rien d'autre que d'infimes picotements.

Talmit reprit ses explications :

— Les électrodes sélectionnent les centres cérébraux responsables du vieillissement. On va émettre des signaux qui inverseront le processus normal de la sénescence et ton cerveau cessera de percevoir l'écoulement de la durée. Ton corps sera ainsi plus sensible à l'excitation induite par les fluides du bac. Ferme les yeux.

Il fixa sur mon visage un respirateur et me poussa légèrement. Ma nuque décolla du rebord du récipient de sorte que je me mis à flotter au milieu de celui-ci. J'avais de plus en plus chaud. J'entendais comme un pétillement confus et j'imaginai de noires bulles sulfureuses jaillissant de la boue et montant dans le liquide qui me baignait; j'imaginai que ce liquide était devenu de la couleur de cette boue. Flottant sur une mer immobile, j'avais obscurément conscience qu'un courant traversait les électrodes, que quelque chose me chatouillait le cerveau, que j'étais immergé dans de la vase et dans ce qui était peut-être bien un liquide amniotique. La voix grave et lointaine de Talmit s'éleva, m'ordonnant de retrouver ma jeunesse, me ramenant à des années et des années en arrière, dévidant la pelote du temps. J'avais une saveur de sel dans la bouche. A nouveau, je traversais l'océan Terre, j'étais attaqué par les pirates, je défendais mes instruments de Vigile sous les huées et les coups. A nouveau, je faisais la connaissance d'Avluela sous le brûlant soleil d'Ogypte. A nouveau, je vivais à Palash. Je retournais à mon lieu de naissance dans les îles du continent perdu qui avait jadis été l'Usa-amrik. J'assistai pour la deuxième fois à la prise de Roum. Des bribes de souvenirs dérivaient dans mon cerveau liquéfié. Les événements étaient sans lien entre eux, sans cohérence logique. J'étais un petit garçon. J'étais un vieillard débile. J'étais chez les Souvenants. J'interrogeais les Somnambules. Je voyais le prince de Roum acheter des yeux à un Artisan de Dijon. Je marchandais avec le procurateur de Perris. J'empoignais les manettes de mes appareils et j'entrais en Vigilance. Je mangeais des mets délicats venus d'outre-espace. Les senteurs du printemps à Palash envahissaient mes narines. L'hiver de la vieillesse me faisait grelotter. Je nageais, heureux et plein d'entrain, dans une mer houleuse. Je chantais. Je pleurais. Je résistais à la tentation. Je succombais aux tentations. Je me querellais avec Olmayne. Je serrais Avluela dans mes bras. Les jours et les nuits se bousculaient vertigineusement tandis que mon horloge biologique inversée accélérait son rythme étrange. J'étais en proie à des illusions. Du ciel tombait une pluie de feu. Le temps se ruait dans plusieurs directions à la fois. Je rapetissais et je devenais gigantesque. Des voix chuchotaient derrière des ombres écarlates, derrière des ombres turquoises. Des musiques chaotiques fusaient en gerbes sur les monts. Mon cœur battait comme un tambour forcené. Je subissais le martèlement des coups de piston de mon cerveau, les bras collés au corps afin d'occuper le moins de place possible, tandis qu'il lançait, lançait, lançait sans fin sa bielle. Les étoiles palpitaient, se contractaient, se défaisaient. Avluela disait doucement : « Ce sont les pulsions indulgentes et bienveillantes de la Volonté qui nous font acquérir une seconde jeunesse, pas nos bonnes œuvres. » Olmayne disait : « Que ma peau est lisse ! » Talmit disait : « Ces oscillations de la perception signifient seulement que le désir d'autodestruction qui est au cœur du processus du vieillissement se dissout. » Gormon disait : « Ces perceptions de l'oscillation signifient seulement l'autodestruction du désir de dissolution qui est au cœur du processus du vieillissement. » Le procurateur Manrule Sept disait : « Nous avons été envoyés sur ce monde afin de vous purifier. Nous sommes les instruments de la Volonté. » Earthclaim Dix-Neuf disait : « D'un autre côté, permettez-moi de ne pas être d'accord. La rencontre entre le destin de la Terre et le nôtre est purement accidentelle. » Mes paupières devenaient pierre. Les petites créatures qui comprimaient mes poumons commençaient à fleurir. Ma peau s'écaillait, révélant des faisceaux de muscles adhérant à l'os. Olmayne disait : « Mes pores se rétrécissent. Ma chair devient plus ferme. Mes seins sont plus menus. » Avluela disait : « Après, tu prendras ton vol avec nous, Tomis. » Le prince de Roum cachait ses yeux derrière ses mains. Les vents solaires faisaient osciller les tours de Roum. J'arrachais l'écharpe d'un Souvenant qui passait. Des Clowns pleuraient dans les rues de Perris. Talmit dit :

— Maintenant, réveille-toi, Tomis, et sors. Ouvre les yeux.

— Je suis jeune à nouveau.

— Le renouvellement ne fait que commencer.

J'étais incapable de bouger. Des assistants me soulevèrent, m'emmaillotèrent dans des linges absorbants, me placèrent sur un brancard roulant et me conduisirent jusqu'à un bassin beaucoup plus grand où baignaient des douzaines de gens, chacun isolé dans son univers intérieur. Leurs crânes glabres étaient garnis d'électrodes, des bandes adhésives roses cachaient leurs yeux, ils avaient les mains paisiblement jointes sur la poitrine. J'entrai dans cette piscine; là, plus d'illusions, rien qu'un long sommeil sans rêves.

Cette fois, ce fut le bruit d'un ressac impétueux qui me réveilla. J'étais entraîné, les pieds en avant, le long d'un étroit conduit débouchant dans un bac scellé où l'on ne respirait que des liquides. J'y demeurai un certain temps — un peu plus d'une minute, un peu moins d'un siècle — tandis que mon âme se dépouillait, couche par couche, de ses péchés. C'était long et éprouvant. Les Chirurgiens, les mains glissées dans des gants contrôlant les minuscules couteaux écorcheurs, opéraient à distance. Infatigables, les petites lames dépiautaient, élaguaient mon âme de ses impuretés et de ses afflictions, de la jalousie et de la colère, de la cupidité, de la concupiscence, de l'impatience.

Quand ce fut terminé, on ouvrit le couvercle du bac et on me repêcha. Je ne tenais pas debout. On fixa des instruments de massage à mes membres ankylosés pour rendre leur souplesse à mes muscles. Alors, je pus marcher. Mon corps nu était vigoureux et ma chair était drue. Talmit s'approcha et lança en l'air une poignée de poussière-miroir pour que je pusse me voir. Quand ces particules se furent amalgamées, j'examinai mon reflet.

— Non, protestai-je. Le visage ne va pas. Je n'étais pas comme cela. Mon nez était plus acéré, mes lèvres n'étaient pas aussi pleines, mes cheveux pas aussi noirs...

— Nous nous sommes basés sur les documents de la confrérie des Guetteurs, Tomis. Tu ressembles plus à ton ancien moi que ta mémoire ne peut s'en rendre compte.

— Est-ce possible ?

— Si tu préfères, nous pouvons te remodeler à ton idée. Mais ce serait bien frivole et prendrait beaucoup de temps.

— Non. Cela n'a pas d'importance.

Il en convint et m'informa que je ne quitterais pas la maison du renouvellement avant d'être parfaitement adapté à mon nouveau moi. On me donna le costume neutre d'un hors-confrérie puisque j'étais maintenant sans affiliation. En me renouvelant, j'avais automatiquement perdu ma qualité de Pèlerin. Il ne me restait plus qu'à choisir une confrérie qui m'accepterait lorsque je sortirais.

— Combien de temps a duré mon renouvellement ? demandai-je à Talmit tout en m'habillant.

— Tu es arrivé en été et nous sommes en hiver. Nous ne travaillons pas vite.

— Et comment va Olmayne ?

— Nous avons échoué avec elle.

— Je ne comprends pas.

— Veux-tu la voir ?

— Oui.

Je pensais qu'il me conduirait à la cellule d'Olmayne mais non : ce fut vers son bac qu'il me guida. Je gravis une rampe menant au couvercle clos. Le Réjuvant me désigna une sorte de lunette faite d'une matière fibreuse dont béait fixement l'œil unique. Je regardai dedans et vis Olmayne. Ou, plus exactement, on me demandait de croire que c'était effectivement

Olmayne que je voyais. Une fillette nue d'environ onze ans, lisse de peau et plate de poitrine, était roulée en boule au fond du bac, les genoux ramenés contre le ventre, le pouce dans la bouche. Sur le moment, je ne compris pas. Mais l'enfant bougea et je reconnus sous forme embryonnaire les traits de la royale Olmayne que j'avais connue : la bouche large, le menton accusé, les pommettes effilées et saillantes. Abasourdi et horrifié, je m'exclamai :

— Qu'est-ce que cela veut dire ?

Talmit me répondit :

— Quand l'âme est trop souillée, il faut creuser profond pour la nettoyer. Ton amie Olmayne s'est révélée un cas difficile. Nous n'aurions pas dû essayer avec elle mais elle a tellement insisté... Et certaines indications permettaient d'espérer que nous réussirions. Comme tu vois, ces indications étaient erronées.

— Mais que lui est-il arrivé ?

— Le renouvellement est entré dans le stade irréversible avant que nous ayons pu éliminer les poisons.

— Vous êtes allés trop loin ? Vous l'avez trop rajeunie ?

— Comme tu peux t'en rendre compte.

— Qu'allez-vous faire ? Pourquoi ne la sortez-vous pas de la et ne la laissez-vous pas se remettre à grandir ?

— Tu devrais écouter plus attentivement, Tomis. Je t'ai dit que le renouvellement était irréversible.

— *Irréversible ?*

— Elle se dilue dans les rêves de l'enfance. Chaque jour qui passe, elle perd quelques années de plus. Son horloge intérieure est devenue folle. Son corps rapetisse, son cerveau devient de plus en plus lisse. Bientôt, elle aura l'âge de la petite enfance. Elle ne se réveillera jamais.

— Et à la fin... (Je me détournai.) Que se passe-t-il ? La disjonction d'un spermatozoïde et d'un ovule dans le bac ?

— La régression n'ira pas aussi loin. Elle mourra à l'état de nourrisson. C'est un cas fréquent.

— Elle me disait que le renouvellement présentait des risques.

— Elle a pourtant exigé de subir le traitement. Noire était son âme, Tomis. Elle n'a vécu que pour elle-même. Elle est venue à Jorslem pour être purifiée. Elle l'est et elle est désormais en paix avec la Volonté. Est-ce que tu l'as aimée ?

— Jamais !

— Alors, qu'as-tu perdu ?

— Un fragment de mon passé, peut-être.

Je collai à nouveau mon œil à la lunette et contemplai Olmayne qui avait à présent retrouvé l'état d'innocence, recouvré sa virginité. Olmayne asexuée, lavée. En paix avec la Volonté. Je scrutai ce visage étrangement transformé et cependant familier pour tenter de deviner ses rêves. Avait-elle su quel malheur la frappait dans cette chute irrémédiable au fond de la jeunesse ? Avait-elle hurlé d'angoisse et de frustration quand elle avait senti la vie la quitter ? L'impérieuse Olmayne de naguère avait-elle surgi le temps d'un éclair avant de sombrer dans cette pureté non désirée ? Dans le bac, l'enfant souriait. Le petit corps souple s'étira et se roula plus étroitement en boule. Olmayne était en paix avec la Volonté. Soudain, comme si Talmit avait derechef lancé une poignée de poussière miroir, je regardai mon nouveau corps. Je vis ce qui avait été fait pour moi, je compris que l'on m'avait accordé une autre vie sous réserve que j'en fasse quelque chose de plus que ce que j'avais fait de ma première existence. Submergé d'humilité, je m'engageai à servir la Volonté et une joie intense qui déferlait comme les vagues tumultueuses de l'océan Terre s'empara de moi, je dis adieu à Olmayne et priai Talmit de me conduire ailleurs.

11

Avluela vint me rendre visite à la maison du renouvellement. Nous étions tous deux remplis d'appréhension. Sa veste était échancrée pour laisser passer ses ailes mais elle parvenait difficilement à les contrôler. Elles palpitaient nerveusement, faisaient mine de se déployer et des frémissements fébriles parcouraient leurs arachnéennes extrémités. Ses grands yeux étaient graves, son visage n'avait jamais été aussi mince et étiré.

Nous nous dévisageâmes un long moment sans rien dire. J'avais chaud et ma vision se brouillait. Je sentais pulser en moi des forces endormies depuis des décennies, qui m'effrayaient autant qu'elles me réjouissaient.

— Tomis ? murmura enfin Avluela.

Je secouai la tête.

Elle toucha mes épaules, mes bras, ma bouche. Je caressai ses poignets, ses flancs et, non sans hésitation, la courbe légère de ses seins. Comme deux aveugles, nous nous apprenions par le toucher. Nous étions des étrangers. Le vieux Guetteur décati qu'elle avait connu — et peut-être aimé — avait disparu pour cinquante ans ou davantage. Un individu mystérieusement métamorphosé, un inconnu avait pris sa place. Le vieux Guetteur de jadis avait été une sorte de père pour elle. Qu'était censé être ce juvénile Tomis qui n'était membre d'aucune confrérie ? J'étais une énigme pour moi-même ; ce corps nerveux, cette peau lisse m'étaient étrangers. J'étais désorienté et en même temps ravi de sentir rouler en moi le flot impétueux d'humeurs dont j'avais presque oublié les houles.

— Tu as les mêmes yeux, me dit-elle. Je te reconnaîtrai toujours grâce à eux.

— Qu'as-tu fait durant tous ces mois, Avluela ?

— Chaque nuit, je volais. J'ai été en Ogypte et en Frique profonde. Je suis revenue et je suis allée à Stanbool. Veux-tu que je te dise, Tomis ? Je me sens vraiment vivre quand je suis là-haut.

— Tu es une Volante. Il est tout à fait naturel que tu éprouves ce sentiment.

— Un jour, nous volerons ensemble.

J'éclatai de rire.

— Les vieilles Cliniques sont fermées, Avluela. On réalise des prodiges à Jorslem mais comment veux-tu qu'on fasse de moi un Volant ?

— Il n'est pas indispensable d'avoir des ailes pour voler.

— Je sais. Les envahisseurs n'en ont pas besoin pour s'affranchir de la pesanteur. Je t'ai vue, un jour, au moment de la chute de Roum, filant en plein ciel avec Gormon. (Je hochai la tête.) Mais je ne suis pas, non plus, un envahisseur.

— Nous volerons ensemble, Tomis, répéta-t-elle. Nous volerons très haut et pas seulement de nuit bien que je n'aie que des ailes nocturnes. Nous volerons dans la clarté du soleil.

Son exaltation me touchait. Je l'étreignis. Elle était fraîche et fragile dans mes bras, et une chaleur nouvelle m'habitait. Nous nous tûmes mais je ne pris pas ce qu'elle m'offrait : il me suffisait de la caresser. On ne se réveille pas d'un seul coup.

Plus tard, tout en devisant, nous suivîmes les galeries où se pressaient les renouvelés et qui aboutissaient à la vaste rotonde centrale, à la coupole translucide que baignait la lumière hivernale et nous nous examinâmes l'un l'autre dans cette pâle et changeante clarté. Je m'appuyais sur son bras car je n'avais pas encore recouvré toutes mes forces et, en un sens, c'était un peu comme autrefois — la jeune fille qui aidait le vieil homme chancelant. Quand elle m'eut ramené dans ma chambre, je lui dis :

— Avant le traitement de jouvence, tu m'as parlé d'une nouvelle confrérie, celle des Rédempteurs. Je...

— Il sera temps de revenir là-dessus plus tard, m'interrompit-elle, visiblement contrariée.

Quand nous nous enlaçâmes, le brasier ranimé embrasa mes reins et je craignis qu'il ne consumât son corps frais et gracile. Mais c'est un feu qui ne consume pas, qui allume seulement le même chez l'autre. Dans son extase, Avluela déploya ses ailes qui se refermèrent sur moi, m'enveloppant, et, prisonnier de leur soyeuse douceur, je m'abandonnai à ma joie dans toute sa violence. Je n'aurais plus jamais besoin de m'appuyer à son bras.

Nous cessâmes d'être des étrangers, cessâmes d'avoir peur l'un de l'autre. Elle venait me retrouver chaque jour à l'heure de l'exercice, nous marchions ensemble, nos pas accordés. Et le brasier était de plus en plus haut, de plus en plus ardent!

Talmit, lui aussi, me rendait fréquemment visite. Il m'enseignait l'art et la manière d'utiliser mon corps rajeuni et m'aidait à apprendre la jeunesse. Il me proposa un jour de retourner voir Olmayne mais je déclinai l'offre. Puis il m'annonça que le processus de régression était arrivé à son terme. Je n'en éprouvai aucun chagrin — juste un singulier sentiment de vide qui ne tarda pas à se dissiper.

— Tu vas bientôt pouvoir partir, me dit le Réjuvant. Es-tu prêt?

— Je le crois.

— As-tu songé à ce que tu feras?

— Il faudra que je cherche une nouvelle confrérie.

— Beaucoup seraient heureuses de t'accueillir, Tomis. Mais laquelle te tente?

— Celle où je serai le plus utile à l'humanité. Je suis redevable à la Volonté d'une vie nouvelle.

— La jeune Volante t'a-t-elle fait part des possibilités qui te sont offertes?

— Elle a mentionné une confrérie de fondation récente.

— T'a-t-elle dit son nom?

— Les Rédempteurs.

— Que sais-tu de cette confrérie?

— Fort peu de chose.

— Désires-tu en savoir plus long?

— S'il y a à en savoir davantage.

— J'appartiens aux Rédempteurs. Et la Volante Avluela aussi.

— Mais vous êtes tous deux déjà affiliés à une confrérie! Comment peut-on être membre de plusieurs? Seuls les Dominateurs bénéficient d'un tel privilège. Et ils...

— Les Rédempteurs accueillent les membres de toutes les autres confréries, Tomis. C'est la confrérie suprême comme l'était autrefois celle des Dominateurs. On y trouve des Souvenants, des Scribes, des Coteurs, des Serviteurs, des Volants, des Propriétaires, des Somnambules, des Chirurgiens, des Clowns, des Marchands, des Vendeurs. Il y a également des Elfons et...

— Des Elfons ! balbutiai-je. Mais les Elfons sont de par la loi hors de toute confrérie ! Comment une confrérie pourrait-elle recruter chez eux ?

— C'est la confrérie des Rédempteurs, Tomis. Les Elfons eux-mêmes peuvent obtenir leur rédemption.

— Oui, même les Elfons, murmurai-je, dompté. Mais comme il est singulier dc penser qu'une pareille confrérie existe.

— Traiterais-tu par le mépris une confrérie ouverte aux Elfons ?

— Je trouve que c'est difficile à comprendre.

— Tu comprendras quand le moment sera venu.

— C'est-à-dire ?

— Le jour où tu quitteras cette maison.

Ce jour arriva bientôt. Avluela vint me chercher et je plongeai non sans hésitation dans le printemps de Jorslem pour terminer les rites du renouvellement. Suivant les instructions qui lui avait données Talmit, elle me conduisit dans tous les lieux sacrés de la cité afin que je fasse mes dévotions dans chaque sanctuaire. Après que je me fus agenouillé devant le mur des hébroux et le dôme doré des mislams, nous traversâmes le marché et gagnâmes la basse ville pour visiter la bâtisse grisâtre et inesthétique qui s'élève à l'endroit où, dit-on, mourut le dieu des christiens. Après être passé par la source de la connaissance et la fontaine de la Volonté, nous nous dirigeâmes vers le siège de la confrérie des Pèlerins où je rendis mon masque, ma robe et ma pierre d'étoile, et, de là, nous rejoignîmes le mur d'enceinte de la vieille ville. A chacune de ces étapes, je m'étais voué à la Volonté avec des mots qu'il me tardait de prononcer depuis longtemps. Les Pèlerins et les simples habitants de Jorslem se rassemblaient à distance respectueuse. Ils savaient que je venais d'être renouvelé et espéraient que je ne sais quelle émanation de mon jeune corps tout neuf leur porterait bonheur. Enfin, j'arrivai au bout de mes obligations. J'étais un homme libre et en parfaite santé, capable de choisir, désormais, le genre de vie qui me conviendrait.

— Est-ce que tu viendras avec moi chez les Rédempteurs ? me demanda Avluela.

— Où les trouverons-nous ? A Jorslem ?

— Oui, à Jorslem. Ils se réuniront dans une heure pour t'accueillir dans leurs rangs.

Elle sortit de dessous sa tunique un objet brillant que je reconnus avec stupéfaction : c'était une pierre d'étoile.

— Que fais-tu avec cela ? m'écriai-je. Seuls les Pèlerins...

— Mets ta main sur la mienne.

Elle me tendait son poing qui étreignait la pierre.

J'obéis. Son visage étiré se crispa sous l'effet de la concentration. Enfin, elle se détendit et rangea la pierre d'étoile.

— Avluela, qu'est-ce que...

— J'ai averti la confrérie qu'ils peuvent se rassembler puisque tu es prêt à assister à la réunion.

— Comment t'es-tu procuré cette pierre ?

— Viens avec moi. Oh ! Tomis, si seulement nous pouvions y aller en volant ! Mais ce n'est pas loin. A deux pas de la maison du renouvellement. Viens, Tomis, viens !

12

Il n'y avait pas de lumière. Avluela me guida dans les ténèbres souterraines et me dit que j'étais au siège de la confrérie des Rédempteurs. « Ne bouge pas », me lança-t-elle avant de me laisser.

Je sentais la présence de gens autour de moi mais n'entendais ni ne voyais rien.

On poussa quelque chose devant moi.

— Pose les mains là-dessus, m'ordonna la voix d'Avluela. Que sens-tu ?

C'était un petit coffret carré monté sur un cadre métallique — du moins eus-je cette impression. J'effleurai des cadrans et des leviers familiers. Mes doigts tâtonnants trouvèrent les poignées saillant sur la face supérieure. D'un seul coup, ce fut comme si mon renouvellement avait été aboli, comme si la Terre n'avait jamais été conquise : j'étais à nouveau un Guetteur car il ne pouvait s'agir d'autre chose que d'un équipement de Vigilance!

— Ce n'est pas le même coffre que celui que j'avais autrefois mais il n'est pas très différent, dis-je.

— As-tu oublié tes talents, Tomis?

— Je pense qu'ils sont toujours là, même maintenant.

— Eh bien, sers-toi de cet instrument, m'enjoignit Avluela. Fais une nouvelle fois Vigile et dis-moi ce que tu vois.

Je retrouvai mes anciennes attitudes avec joie et sans peine. Promptement, j'accomplis les rites préliminaires, purgeai mon esprit du doute et de ses résistances. La mise en Vigilance s'opéra avec une surprenante aisance. Cela ne m'était pas arrivé depuis cette nuit qui avait vu la défaite de la Terre et pourtant il me semblait que c'était plus rapide que dans le temps.

J'agrippai les poignées. Elles étaient étranges. Au lieu des prises terminales qui m'étaient familières, elles comportaient chacune un objet froid et dur serti à leur extrémité. Peut-être une sorte de gemme, voire une pierre d'étoile. Mes mains se refermèrent sur les fraîches masses jumelles. J'éprouvai alors une appréhension fugitive, même un sentiment de peur à l'état brut mais recouvrai vite ma nécessaire sérénité. Mon âme se déversa dans l'appareil et je commençai à vigiler.

Je ne m'élançai pas à la rencontre des étoiles comme autrefois. Je percevais, certes, mais ma perception était limitée à l'environnement immédiat de la salle où je me trouvais. Les yeux fermés, courbé en deux dans ma transe, je sondai et entrai d'abord en contact avec Avluela. Elle était près de moi, presque contre moi. Je la voyais et ses yeux scintillaient.

« Je t'aime. »

« Oui, Tomis. Et nous resterons toujours ensemble. »

« Jamais je ne me suis senti aussi proche d'un être. »

« Dans cette confrérie, nous sommes tous proches les uns des autres, tout le temps. Nous sommes les Rédempteurs, Tomis.

Nous sommes quelque chose de nouveau. Il n'y a jamais rien eu de semblable sur Terre auparavant. »

« Comment se fait-il que je te parle, Avluela ? »

« Ton esprit s'adresse au mien par l'intermédiaire de la machine. Et, un jour, la machine ne sera plus indispensable. »

« Lorsque nous volerons de compagnie ? »

« Bien avant, Tomis. »

Les pierres d'étoile s'échauffaient dans mes mains. Maintenant, je distinguais nettement les instruments : c'était un coffret de Guetteur mais auquel certaines modifications avaient été apportées, dont les pierres fixées aux poignées. Et, derrière Avluela, j'apercevais des visages. Certains que je connaissais. L'austère silhouette du Réjuvant Talmit était à ma gauche. Un peu plus loin se tenait le Chirurgien avec qui j'étais entré à Jorslem. Bernalt l'Elfon était debout à côté de lui. Je savais enfin pour quelle raison ces deux hommes avaient quitté Nayrub pour rallier la cité sainte. Les autres m'étaient inconnus mais il y avait deux Volants, un Souvenant qui étreignait son écharpe, une Servante, d'autres encore. Et si je les voyais, c'était à cause d'une lumière intérieure car la salle était toujours aussi obscure qu'à mon arrivée. Et non seulement je les voyais tous mais encore je les touchais en esprit.

Le premier esprit que je frôlai fut celui de Bernalt. Je l'effleurai sans difficulté mais avec crainte, me rétractai, le touchai derechef. Il m'accueillit avec joie. Je compris à ce moment que si je parvenais à considérer un Elfon comme mon frère, je pourrais — et la Terre le pourrait aussi — obtenir la rédemption tant cherchée. Car comment réussirions-nous à mettre fin à notre châtiment si nous n'étions pas véritablement un seul peuple ?

J'essayai de pénétrer à l'intérieur de l'esprit de Bernalt mais j'étais plein d'effroi. Comment cacher les préjugés, le mesquin dédain, les réflexes conditionnés qui entraient inéluctablement en jeu lorsque nous pensions aux Elfons ?

« Ne cache rien, me conseilla-t-il. Ce n'est pas un secret pour moi. Largue tout cela et rejoins-moi. »

Je bataillai. J'exorcisai les démons. Je me remémorai l'épisode du sanctuaire des Elfons quand, après que Bernalt nous eut sauvés, je l'avais invité à nous accompagner. Qu'avais-je alors éprouvé à son égard ? L'avais-je considéré, ne fût-ce qu'un instant, comme un frère ?

Je prolongeai ce moment de gratitude et de compagnonnage, le laissai grandir et flamboyer — et il consuma la croûte de mépris et de vain dédain. Je vis l'âme humaine derrière l'étrange surface elfonne. Cette surface, je la brisai et je trouvai le chemin de la rédemption. Son esprit m'aspira.

Je rejoignis Bernalt et il m'admit dans sa confrérie. J'appartenais désormais aux Rédempteurs.

Une voix résonna en moi et je ne savais pas si c'était le timbre sonore de Talmit, le ton sec et ironique du Chirurgien, le murmure volontaire de Bernalt ou le léger chuchotement d'Avluela car c'étaient toutes ces voix en même temps, et c'étaient aussi d'autres voix, et elles disaient :

« Quand l'humanité tout entière sera membre de notre confrérie, nous ne serons plus vaincus. Quand chacun de nous fera partie de tous les autres, nos souffrances prendront fin. Il n'est nul besoin de nous dresser contre nos conquérants car lorsque nous serons tous Rachetés, nous les absorberons. Entre en nous, Tomis, qui fus le Guetteur Wuellig. »

Et j'entrai.

Et je devins le Chirurgien, la Volante, le Réjuvant, l'Elfon, la Servante et tous les autres. Et ils furent moi. Aussi longtemps que j'étreignais les pierres d'étoile, nous n'étions qu'une seule âme et qu'un même esprit. Ce n'était pas la communion au cours de laquelle le Pèlerin s'immerge anonymement dans la Volonté mais une union du moi et du moi qui préservait l'indépendance au sein d'une plus vaste dépendance. C'était la perception aiguisée de la Vigile associée à cette fusion avec une entité transcendante que dispense la communion, et je savais que c'était là quelque chose d'absolument sans précédent sur Terre, pas simplement la fondation d'une nouvelle confrérie mais le point de départ d'un nouveau cycle de l'histoire humaine, la naissance du quatrième cycle sur la planète vaincue.

« Tomis, disait la voix, nous rachèterons d'abord ceux qui ont le plus grand besoin de la Rédemption. Nous irons en Ogypte, dans le désert où d'infortunés Elfons se tapissent dans un antique édifice qu'ils adorent, nous les emmènerons avec nous et nous les purifierons. Nous nous rendrons dans un misérable village de l'Ouest frappé par la maladie de la cristallisation, nous attoucherons l'âme de ses habitants, nous les laverons de leurs souillures et la cristallisation cessera, leurs corps seront guéris. Et nous irons plus loin que l'Ogypte, nous nous rendrons dans toutes les contrées du monde à la recherche de ceux qui n'ont pas de confrérie, de ceux qui n'ont pas d'espoir, de ceux qui n'ont pas de lendemains et nous leur donnerons la vie et une nouvelle raison d'être. Et un jour viendra où la Terre entière sera rachetée. »

Ils m'évoquèrent une vision — vision d'une planète transformée, d'envahisseurs au masque dur qui se soumettaient pacifiquement, nous suppliaient de les intégrer à cette chose nouvelle qui avait germé au cœur de leur triomphe. Ils me montrèrent une Terre lavée de ses péchés anciens.

Et je compris que le moment était venu de retirer mes mains de la machine que j'étreignais. Et je la lâchai.

La vision s'estompa. La lumière pâlit. Mais ce n'était plus la solitude au fond de mon crâne car les vestiges d'un contact s'attardaient et la salle n'était plus obscure.

— Comment est-ce arrivé? demandai-je. Quand cela a-t-il commencé?

— Après la défaite, nous nous sommes posé la question : pourquoi avons-nous été vaincus si aisément? Et comment dominer l'événement? Il était clair que les confréries n'avaient pas donné à nos vies une ossature suffisante, que la Rédemption passait par une forme plus étroite d'union. Nous avions les pierres d'étoile et les appareils de Vigile. Il n'y avait plus qu'à les accoupler.

— Tu auras un rôle important à jouer, Tomis, dit le Chirurgien, parce que tu sais projeter ton esprit. Nous sommes à la recherche d'anciens Guetteurs. Ils sont le noyau de notre confrérie. Autrefois, ton âme sillonnait les astres pour dépister les ennemis de l'humanité. Dorénavant, elle sillonnera la Terre pour rassembler l'humanité.

— Tu m'aideras à voler, Tomis, même en plein jour, dit Avluela. Et tu voleras avec moi.

— Quand pars-tu ?

— Immédiatement. Je vais en Ogypte, au temple des Elfons leur offrir ce que nous avons à offrir. Et tous les autres seront avec moi pour me donner la force. Et c'est à travers toi que la force me sera dispensée.

Ses mains effleurèrent mes mains, ses lèvres touchèrent mes lèvres. « La vie de la Terre recommence. Cette année, en ce nouveau cycle. Nous sommes tous ressuscités, Tomis ! »

13

Je demeurai seul dans la salle. Les autres se dispersèrent. Dans la rue, Avluela prit son essor. Je posai les mains sur les pierres d'étoile serties et je la vis aussi clairement que si elle se tenait à mon côté. Elle se préparait au voyage. D'abord, elle se dévêtit. Son corps nu scintillait au soleil. Un corps gracile qui avait l'air extraordinairement fragile et je songeai qu'un coup de vent le réduirait en pièces. Elle s'agenouilla et se prosterna selon les rites. Elle parlait bas mais j'entendais les mots qu'elle prononçait, les formules que les Volants récitent pour prendre leur envol. Dans cette nouvelle confrérie, toutes les confréries n'en font qu'une. Nous n'avons pas de secrets les uns vis-à-vis des autres, il n'y a pas de mystères. Et tandis qu'Avluela sollicitait la faveur de la Volonté et l'aide de tous ses semblables, mes prières se mêlaient aux siennes.

Elle décolla et déploya ses ailes. Des passants la regardèrent avec curiosité, non point que la vue d'une Volante nue dans les rues de Jorslem fût inusitée mais parce que le soleil brillait d'un éclat intense et que ses ailes translucides, à peine pigmentées, étaient manifestement des ailes nocturnes incapables de résister à la pression du vent solaire.

Nous lui dîmes : « Je t'aime » et nos mains coururent légèrement sur sa peau satinée en une brève caresse.

Ses narines frémirent de ravissement. Ses petits seins de fillette se soulevèrent fébrilement. Ses ailes, maintenant largement déployées, chatoyaient au soleil et leur éclat était somptueux.

— En avant pour l'Ogypte, murmura-t-elle. Tomis, viendras-tu avec moi racheter les Elfons et les réunir à nous ?

— Je t'accompagnerai, répondîmes-nous.

Étreignant les pierres d'étoile, je me pliai en deux sur la machine dans la salle obscure au-dessus de laquelle elle planait.

— Nous volerons ensemble, Avluela.

— Alors, envole-toi, dit-elle. Monte !

Et nous dîmes :

— Monte !

Ses ailes battaient et s'incurvaient pour prendre le vent. Nous sentîmes instantanément qu'elle se débattait et nous lui apportâmes la force dont elle avait besoin, et notre force déferla en elle à travers moi, et nous nous élevâmes davantage. Les tours et les remparts de Jorslem la Dorée rapetissèrent, la cité ne fut plus qu'un point rose au milieu du vert des collines et les ailes frémissantes d'Avluela la poussèrent rapidement vers l'ouest, vers le soleil couchant, vers la terre d'Ogypte. Son extasc nous baignait tous.

— Comme c'est merveilleux, Tomis, d'être là-haut, au-dessus de tout. Sens-tu comme c'est merveilleux ?

— Je le sens, murmurai-je. La fraîcheur de l'air sur la peau nue — le vent dans mes cheveux — nous dérivons au gré des courants, nous piquons, nous montons, Avluela, nous montons en chandelle !

Vers l'Ogypte. Vers le soleil couchant.

Au-dessous de nous scintillait le lac Médit. Le Pont de Terre était plus loin, quelque part. Au nord, Eyrope. Au sud, la Frique. Là-bas, au delà de l'océan Terre, c'était ma patrie. J'y retournerais plus tard avec Avluela pour apporter la bonne nouvelle de la transformation de la Terre.

A cette altitude, on ne pouvait pas savoir que notre monde avait été conquis. On ne voyait que les couleurs radieuses de la terre et de la mer, pas les points de contrôle de l'envahisseur.

Ils ne se maintiendraient pas longtemps. Bientôt, nous aurions conquis le conquérant mais pas les armes à la main : grâce à l'amour. Et quand la rédemption de la planète serait universelle, nous accueillerions dans notre nouvel être les créatures mêmes qui se sont emparées de notre planète.

— Je savais que tu volerais un jour à mes côtés, Tomis, dit Avluela.

Dans la salle enténébrée, je sentis de nouveaux flux d'énergie traverser ses ailes.

Elle survolait le désert. La vieille Clinique, sanctuaire des Elfons, n'allait pas tarder à apparaître. Il allait falloir descendre et j'en étais peiné. J'aurais voulu que nous puissions rester à jamais dans les airs, Avluela et moi.

— Nous y resterons, Tomis, me dit-elle. Nous y resterons. Rien ne peut plus nous séparer. Tu le crois, n'est-ce pas, Tomis ?

— Oui, je le crois.

Et nous la guidâmes vers le sol à travers le ciel assombri.

SCIENCE-FICTION et FANTASTIQUE

Dans cette série, Jacques Sadoul édite ou réédite les meilleurs auteurs du genre :

LDISS Brian W.
520** LE MONDE VERT
Dans les frondaisons d'un arbre gigantesque, des colonies de créatures humaines tentent de survivre

SIMOV Isaac
404** LES CAVERNES D'ACIER
Dans les cités souterraines du futur, le meurtrier est demeuré semblable à lui-même
453** LES ROBOTS
Comment les robots, d'abord esclaves soumis des hommes, devinrent leurs maîtres
468** FACE AUX FEUX DU SOLEIL
Sur Solaria, les hommes ne se rencontraient jamais et, pourtant, un meurtre venait d'y être commis
484** TYRANN
Les despotes de Tyrann voulaient conquérir l'univers. Sur la Terre, une poignée d'hommes résistait encore
542** UN DEFILE DE ROBOTS
D'autres récits passionnants sur ce sujet inépuisable
552** CAILLOUX DANS LE CIEL
Un homme de notre temps est projeté dans l'empire galactique de Trantor

OULLE Pierre
458** LES JEUX DE L'ESPRIT
Sous un Gouvernement mondial scientifique, les distractions des hommes ne tomberont-elles pas au niveau le plus grossier ?

ARKE Arthur C.
349** 2001-L'ODYSSEE DE L'ESPACE
Ce voyage fantastique aux confins du cosmos a suscité un film célèbre

COOPER Edmund
480** PYGMALION 2113
John pouvait-il réellement aimer Marion-A, une femme robot ?

CURVAL Philippe
595** LE RESSAC DE L'ESPACE
Des envahisseurs extra-terrestres surtout préoccupés de créer la beauté et l'harmonie (juin 1975)

DICK Philip K.
547* LOTERIE SOLAIRE
Un monde régi par le hasard et les jeux
563** DR. BLOODMONEY
La vie quotidienne dans une civilisation post-atomique
567*** LE MAITRE DU HAUT CHATEAU
L'occupation des U.S.A. par le Japon et l'Allemagne après la victoire de l'Axe en 1947
594** SIMULACRES
Le pouvoir était-il détenu par des hommes ou des simulacres animés électroniquement ? (juin 1975)

EWERS H.H.
505** DANS L'EPOUVANTE
Les portes du fantastique s'ouvrent sur celles de l'horreur

FARMER Philip José
537** LES AMANTS ETRANGERS
Les amours d'un terrien avec une femme non humaine
581* L'UNIVERS A L'ENVERS
Amours étranges et descente aux enfers futurs

HAMILTON Edmond

432** LES ROIS DES ETOILES
John Gordon avait échangé son esprit contre celui d'un prince des étoiles

490** LE RETOUR AUX ETOILES
John Gordon et l'oiseau pensant Korkhann luttent pour sauver l'empire de Fomalhaut

HEINLEIN Robert

510** UNE PORTE SUR L'ETE
Pour retrouver celle qu'il aimait, il lui suffisait de revenir 30 ans en arrière

519** LES ENFANTS DE MATHUSALEM
Certains hommes jouissent d'une semi-immortalité. Pour fuir les persécutions ils partent à la conquête des étoiles

541** PODKAYNE, FILLE DE MARS
Les aventures d'une adolescente martienne et d'un bébé-fée sur Vénus

562** ETOILES, GARDE-A-VOUS !
Dans la guerre galactique, l'infanterie, malgré ses armures électroniques, supporte les plus durs combats

589** DOUBLE ETOILE
Un acteur, double d'un homme politique, doit continuer de jouer ce rôle dans la vie (mai 1975)

KEYES Daniel

427** DES FLEURS POUR ALGERNON
Charlie était un simple d'esprit. Des savants vont le transformer en génie comme Algernon, la souris

LEVIN Ira

342** UN BEBE POUR ROSEMARY
A New York, Satan s'empare des âmes et des corps

434** UN BONHEUR INSOUTENABLE
Les hommes, programmés dès leur naissance, subissent un bonheur devenu insoutenable à force d'uniformité

LOVECRAFT Howard P.

410* L'AFFAIRE CHARLES DEXTER WARD
Echappé de Salem, le sorcier Joseph Curwen vint mourir à Providence e 1771. Mais est-il bien mort ?

459*** DAGON
Le retour du dieu païen Dagon, de nombreux autres récits de terre

LOVECRAFT H.P. et DERLETH A.

471** LE RODEUR DEVANT LE SEUIL
Au nord d'Arkham, il est une for où rôdent d'anciennes et terribl puissances

MERRITT Abraham

557** LES HABITANTS DU MIRA
La lutte d'un homme contre dieu-Kraken venu d'outre-espace

574** LA NEF D'ISHTAR
Il aimait Sharane, née il y 6000 ans à Babylone...

MOORE Catherine L.

415** SHAMBLEAU
Parmi les terribles légendes qui co rent l'espace l'une au moins e vraie : la Shambleau

533** JIREL DE JOIRY
De son château moyenâgeux, Ji se transporte au delà du temps de l'espace

OTTUM Bob

568** PARDON, VOUS N'AVEZ PAS VU MA PLANETE ?
Un extra-terrestre est chargé réaliser une édition pirate du m gazine Time

RAYER Francis G.

424** LE LENDEMAIN DE LA MACHINE
« Maudit soit le nom de Mant Rawson », entendait-il dire toutes parts. Or, ce nom était sien

SADOUL Jacques

532** LES MEILLEURS RECITS « ASTOUNDING STORIES
Une mutation capitale dans l'h toire de la science-fiction amé caine

;51** LES MEILLEURS RECITS DE « AMAZING STORIES »
Les œuvres importantes de la première revue de science-fiction

;79** LES MEILLEURS RECITS DE « WEIRD TALES » — T. 1
La meilleure revue de fantastique et d'horreur des Etats-Unis

;80** LES MEILLEURS RECITS DE « WEIRD TALES » — T. 2
De Lovecraft à Robert Howard, tous les grands auteurs de la revue

HACHNER Nat

;04** L'HOMME DISSOCIE
La solidarité interraciale entre Terriens et Martiens doit-elle passer avant le patriotisme ?

VERBERG Robert

195** L'HOMME DANS LE LABYRINTHE
Depuis 9 ans, Muller vivait au cœur d'un labyrinthe parsemé de pièges mortels

;85** LES AILES DE LA NUIT
L'humanité conquise se découvre des pouvoirs psychologiques nouveaux

1AK Clifford D.

373** DEMAIN LES CHIENS
Les hommes ont-ils réellement existé ? se demandent les chiens le soir à la veillée

;00** DANS LE TORRENT DES SIECLES
Comment tuer un homme qui est déjà mort depuis longtemps ?

URGEON Théodore

355** LES PLUS QU'HUMAINS
Ces enfants étranges ne seraient-ils pas les pionniers de l'humanité de demain ?

369** CRISTAL QUI SONGE
Fuyant des parents indignes, Horty trouve refuge dans un cirque aux personnages fantastiques

107** KILLDOZER-LE VIOL COSMIQUE
Des extra-terrestres à l'assaut des hommes et de leurs machines

TOLKIEN J.R.R.

486** BILBO LE HOBBIT
Les hobbits sont des créatures pacifiques, mais Bilbo savait se rendre invisible, ce qui le jeta dans des combats terrifiants

VAN VOGT A.E.

362** LE MONDE DES Ã
Gosseyn n'existait plus : il lui fallait reconquérir jusqu'à son identité

381** A LA POURSUITE DES SLANS
Les slans sont beaux, intelligents, supérieurs aux hommes : c'est pourquoi ils doivent se dissimuler

392** LA FAUNE DE L'ESPACE
Au cœur d'un désert d'étoiles, le vaisseau spatial rencontre des êtres fabuleux

397** LES JOUEURS DU Ã
L'enjeu de ce siècle éloigné dans le futur, c'est la domination des mondes

418** L'EMPIRE DE L'ATOME
L'accession au pouvoir suprême du Seigneur Clane Linn, le mutant aux pouvoirs fabuleux (mai 1975)

419** LE SORCIER DE LINN
La Terre conquise, c'est l'univers hostile des extra-terrestres qui s'oppose désormais au Seigneur Clane, le mutant génial (juin 1975)

439** LES ARMURERIES D'ISHER
Lorsque McAllister entra dans la boutique d'armes, il se trouva dans le futur

440** LES FABRICANTS D'ARMES
La Guilde des armuriers avait condamné à mort Robert Hedrok, mais celui-ci était immortel

463** LE LIVRE DE PTATH
Après sa mort, le capitaine Peter Holroid se réveille dans le corps du dieu Ptath

475** LA GUERRE CONTRE LE RULL
Seul Trevor Jamieson pouvait sauver l'humanité de son plus mortel ennemi : le Rull

496** DESTINATION UNIVERS
De la Terre jusqu'aux confins de la Galaxie

515** TENEBRES
SUR DIAMONDIA

Il était le colonel Morton, mais aussi des milliers d'autres personnes, y compris 400 prostituées

529** CREATEUR D'UNIVERS

La jeune femme qu'il avait tuée l'année précédente l'invita à prendre un verre

588** DES LENDEMAINS
QUI SCINTILLENT

Une invention extraordinaire pourra-t-elle vaincre un pouvoir totalitaire ? (mai 1975)

VEILLOT Claude

558** MISANDRA

Une civilisation de femmes où le Viril est abattu à vue

VONNEGUT Kurt Jr.

470** ABATTOIR 5

Il se trouvait à Dresde, en 19 sous les bombardements, et, même temps, sur la planète T famadore

556** LE BERCEAU DU CHAT

La Glace-9 a la particularité transformer tout ce qui est liqu en solide...

ZELAZNY Roger

509* L'ILE DES MORTS

Qui avait bien pu ressusciter p sieurs ennemis défunts de Frar Sandow?

ROMANS-TEXTE INTÉGRAL

ALLEY Robert
517* Le dernier tango à Paris

ARNOTHY Christine
343** Le jardin noir
368* Jouer à l'été
377** Aviva
431** Le cardinal prisonnier
511*** Un type merveilleux

ASHE Penelope
462** L'étrangère est arrivée nue

AURIOL Jacqueline
485** Vivre et voler

BARBIER Elisabeth
436** Ni le jour ni l'heure

BARBUSSE Henri
13*** Le feu

BARCLAY Florence L.
287** Le Rosaire

BAUM Vicki
566** Berlin Hôtel

BIBESCO Princesse
77* Katia
502** Catherine-Paris

BLIER Bertrand
543*** Les valseuses

BODIN Paul
332* Une jeune femme

BORY Jean-Louis
81** Mon village à l'heure allemande

BOULLE Pierre
530** Les oreilles de jungle

BRESSY Nicole
374* Sauvagine

BUCHARD Robert
393** 30 secondes sur New York

BUCK Pearl
29** Fils de dragon
127*** Promesse
570**** La vie n'attend pas

CARLISLE Helen Grace
513** Chair de ma chair

CARS Guy des
47** La brute
97** Le château de la juive
125** La tricheuse
173** L'impure
229** La corruptrice
246** La demoiselle d'Opéra
265** Les filles de joie
295** La dame du cirque
303** Cette étrange tendresse
322** La cathédrale de haine
331** L'officier sans nom
347** Les sept femmes
361** La maudite
376** L'habitude d'amour
Sang d'Afrique :
399** I. L'Africain
400** II. L'amoureuse
Le grand monde :
447** I. L'alliée
448** II. La trahison
492** La révoltée
516** Amour de ma vie
548**** Le faussaire

CASTILLO Michel del
105** Tanguy

CESBRON Gilbert
6** Chiens perdus sans collier
38* La tradition Fontquernie
65** Vous verrez le ciel ouvert
131** Il est plus tard que tu ne penses
365* Ce siècle appelle au secours
379** C'est Mozart qu'on assassine
454* L'homme seul
478** On croit rêver
565* Une sentinelle attend l'aurore

CHEVALLIER Gabriel
383*** Clochemerle-les-Bains

CLAVEL Bernard
290* Le tonnerre de Dieu
300* Le voyage du père
309** L'Espagnol
324* Malataverne
333** L'hercule sur la place
457* Le tambour du bief
474* Le massacre des innocents
499** L'espion aux yeux verts
522**** La maison des autres
523*** Celui qui voulait voir la mer
524*** Le cœur des vivants
525*** Les fruits de l'hiver
590** Le seigneur du fleuve (juin 1975)

COLETTE
2* Le blé en herbe
68* La fin de Chéri
106* L'entrave
153* La naissance du jour

COTTE Jean-Louis
540**** Hosanna
560*** Les semailles du ciel
582** La mise à prix

CRESSANGES Jeanne
363* La feuille de bétel
387** La chambre interdite
409* La part du soleil

CURTIS Jean-Louis
312** La parade
320** Cygne sauvage
321** Un jeune couple
348* L'échelle de soie
366*** Les justes causes
413** Le thé sous les cyprès
514*** Les forêts de la nuit
534*** Les jeunes hommes
555** La quarantaine
586*** Le roseau pensant (mai 1975)

DAUDET Alphonse
34* Tartarin de Tarascon
414* Tartarin sur les Alpes

DHOTEL André
61* Le pays où l'on n'arrive jamais

DICKEY James
531** Délivrance

DUCHE Jean
572*** L'histoire de France racontée à Juliette — T. 1
573*** L'histoire de France racontée à Juliette — T. 2

DURRELL Gerald
593** La forêt ivre (juin 1975)

FABRE Dominique
476** Un beau monstre

FAURE Lucie
341** L'autre personne
398* Les passions indécises
467** Le malheur fou
583* Mardi à l'aube

FLAUBERT Gustave
103** Madame Bovary

FLORIOT René
408** Les erreurs judiciaires
526** La vérité tient à un fil

FRANCE Claire
169* Les enfants qui s'aiment

GALLO Max
506**** Le cortège des vainqueurs
564* Un pas vers la mer

GENEVOIX Maurice
76* La dernière harde

GODEY John
592*** Arrêt prolongé sous Park Avenue (juin 1975)

GREENE Graham
4* Un Américain bien tranquille
55** L'agent secret

GROGAN Emmett
535**** Ringolevio

GROULT Flora
518* Maxime ou la déchirure

GUARESCHI Giovanni
1** Le petit monde de don Camillo
52* Don Camillo et ses ouailles
130* Don Camillo et Peppone
426** Don Camillo à Moscou
561* Don Camillo et les contestataires

HAEDRICH Marcel
536* Drame dans un miroir

HALL G. Holiday
550** L'homme de nulle part

HILTON James
99** Les horizons perdus

HURST Fanny
261*** Back Street

KIRST H.H.
31** 08/15. La révolte du caporal Asch
121** 08/15. Les étranges aventures de guerre de l'adjudant Asch
139** 08/15. Le lieutenant Asch dans la débâcle
188**** La fabrique des officiers
224** La nuit des généraux
304*** Kameraden
357*** Terminus camp 7
386** Il n'y a plus de patrie
482** Le droit du plus fort

KONSALIK Heinz
497**** Amours sur le Don
549**** Brûlant comme le vent des steppes
578*** La passion du Dr Bergh

KOSINSKY Jerzy
270** L'oiseau bariolé

LABORDE Jean
421** L'héritage de violence

LANCELOT Michel
396** Je veux regarder Dieu en face
451** Campus

LENORMAND H.-R.
257* Une fille est une fille

LEVIN Ira
449** La couronne de cuivre

LEVIS MIREPOIX Duc de
43* Montségur, les cathares

LOOS Anita
508* Les hommes préfèrent les blondes

LOWERY Bruce
165* La cicatrice

MALLET-JORIS Françoise
87** Les mensonges
301** La chambre rouge
311** L'Empire céleste
317** Les personnages
370** Lettre à moi-même

MALPASS Eric
340** Le matin est servi
380** Au clair de la lune, mon ami Gaylord

MANCERON Claude
587**** Le tambour de Borodino (mai 1975)

MARGUERITTE Victor
423** La garçonne

MARKANDAYA Kamala
117* Le riz et la mousson
435** Quelque secrète fureur
503** Possession

MAURIAC François
35* L'agneau
93* Galigaï
129* Préséances
425** Un adolescent d'autrefois

MAUROIS André
192* Les roses de septembre

McGERR Pat
527** Bonnes à tuer

MERREL Concordia
336** Le collier brisé
394** Etrange mariage

MIQUEL André
539* Le fils interrompu

MONNIER Thyde
Les Desmichels :
206* I. Grand-Cap
210** II. Le pain des pauvres
218** III. Nans le berger
222** IV. La demoiselle
231** V. Travaux
237** VI. Le figuier stérile

MORAVIA Alberto
115** La Ciociara
175** Les indifférents
298*** La belle Romaine
319** Le conformiste
334* Agostino
390** L'attention
403** Nouvelles romaines
422** L'ennui
479** Le mépris
498** L'automate

MORRIS Edita
141* Les fleurs d'Hiroshima

MORTON Anthony
360* L'ombre du Baron
364* Le Baron voyage
367* Le Baron passe la Manche
371* Le Baron est prévenu
395* Le Baron est bon prince
429* Une corde pour le Baron
437* Piège pour le Baron
450* Le Baron aux abois
456* Le Baron risque tout
460* Le Baron bouquine
469* Le Baron et le masque d'or
477* Le Baron riposte
494* Un solitaire pour le Baron.
521* Le Baron et les œufs d'or

NATHANSON E.M.
308*** Douze salopards

NORD Pierre
378** Le 13ᵉ suicidé
428** Provocations à Prague
481** Le canal de las Americas

OLLIVIER Eric
391* Les Godelureaux

ORIEUX Jean
433* Petit sérail

PEREC Georges
259* Les choses

PERREIN Michèle
569**** Le buveur de Garonne

PEUCHMAURD Jacques
528** Le soleil de Palicorna
591** Soleil cassé (juin 1975)

PEYREFITTE Roger
17** Les amitiés particulières
86* Mademoiselle de Murville
107** Les ambassades
325*** Les Juifs
335*** Les Américains
405* Les amours singulières
416** Notre amour
430** Les clés de Saint Pierre
438** La fin des ambassades
455** Les fils de la lumière
473* La coloquinte
487** Manouche

PROUTEAU Gilbert
545** Le sexe des anges

RENARD Jules
11* Poil de carotte

RENAUDIN Edmée
584* Edmée au bout de la table

ROBBE-GRILLET Alain
546* L'année dernière à Marienbad

ROBLES Emmanuel
9* Cela s'appelle l'aurore

SAGAN Françoise
461* Un peu de soleil dans l'eau froide
512* Un piano dans l'herbe
553* Des bleus à l'âme

SAINT-ALBAN Dominique
Noële aux Quatre Vents :
441** I. Les Quatre Vents.
442** II. Noële autour du monde
443** III. Les chemins de Hongrie
444** IV. Concerto pour la main gauche
445** V. L'enfant des Quatre Vents
446** VI. L'amour aux Quatre Vents
483** Le roman d'amour des grandes égéries

SALMINEN Sally
263*** Katrina

SCHWEITZER Albert
596* Souvenirs de mon enfance

SEGAL Erich
412* Love Story

SELINKO A. M.
489** J'étais une jeune fille laide

SIMON Pierre-Henri
82** Les raisins verts

SMITH Wilbur A.
326** Le dernier train du Katanga

TROYAT Henri
10* La neige en deuil
La lumière des justes :
272** I. Les compagnons du coquelicot
274** II. La Barynia
276** III. La gloire des vaincus
278** IV. Les dames de Sibérie
280** V. Sophie ou la fin des combats
323* Le geste d'Eve

Les Eygletière :
344** I. Les Eygletière
345** II. La faim des lionceaux
346** III. La malandre
Les héritiers de l'avenir :
464** I. Le cahier
465** II. Cent un coups de canon
466** III. L'éléphant blanc
488** Les ailes du diable
559** La pierre, la feuille et les ciseaux

URIS Léon
143**** Exodus

VEILLOT Claude
472** 100 000 dollars au soleil

VIALAR Paul
57** L'éperon d'argent
299** Le bon Dieu sans confession
337** L'homme de chasse
372** La cravache d'or
402** Les invités de la chasse
417* La maison sous la mer
452** Safari-vérité
501** Mon seul amour

VILALLONGA José-Luis de
493* Fiesta
507** Allegro barbaro
554* L'homme de sang

WEBB Mary
63** La renarde

WOUK Herman
Le souffle de la guerre :
575**** T. 1 Nathalie
576**** T. 2 Pamela
577**** T. 3 Le vent se lève (mai 1975)

XAVIERE
538* La punition
544* O gué vive la rose

XENAKIS Françoise
491* Moi, j'aime pas la mer

XXX
571** La fille de Fanny Hill

ÉDITIONS J'AI LU
31, rue de Tournon, 75006-Paris

Exclusivité de vente en librairie
FLAMMARION

IMPRIMÉ EN FRANCE PAR BRODARD ET TAUPIN
6, place d'Alleray - Paris.
Usine de La Flèche, le 20-03-1975.
1559-5 - Dépôt légal 1er trimestre 1975.